Irland

Reisen mit **Insider Tipps**

Diesen Führer schrieb der Reisejournalist Manfred Wöbcke. Er kennt Irland von vielen Reisen und seiner Tätigkeit als Dozent an der Universität Cork.

marcopolo.de

Die aktuellsten Insider-Tipps finden Sie unter www.marcopolo.de, siehe auch Seite 103

MAIRS GEOGRAPHISCHER VERLAG

SYMBOLE

Marco Polo Insider-Tipps:
Von unseren Autoren für Sie entdeckt

★ **Marco Polo Highlights:**
Alles, was Sie in Irland kennen sollten

Hier haben Sie eine schöne Aussicht

Wo Sie junge Leute treffen

PREISKATEGORIEN

Hotels	
€€€	über 120 Euro
€€	65–120 Euro
€	bis 65 Euro

Die Preise gelten pro Nacht für zwei Personen im Doppelzimmer mit Frühstück.

Restaurants	
€€€	über 35 Euro
€€	20–35 Euro
€	bis 20 Euro

Die Preise gelten für ein Essen mit Vor-, Haupt- und Nachspeise ohne Getränke.

KARTEN

[114 A1] Seitenzahlen und Koordinaten für den Reiseatlas Irland
[U A1] Koordinaten für die Dublinkarte im hinteren Umschlag
[O] Objekte außerhalb der Dublinkarte
Karten zu Limerick und Cork finden Sie im hinteren Umschlag
Zu Ihrer Orientierung sind auch die Orte mit Koordinaten versehen, die nicht im Reiseatlas eingetragen sind.

GUT ZU WISSEN

INHALT

Die wichtigsten MARCO POLO Highlights

Sehenswürdigkeiten, Orte und Erlebnisse, die Sie nicht verpassen sollten

1 St. Patrick's Day
Wer im Winter nach Irland reisen will, sollte dies Mitte März tun, denn dann feiert die gesamte Insel (Seite 26)

2 Temple Bar
Nicht wiederzuerkennen: Aus dem heruntergekommenen Dubliner Bezirk wurde in kurzer Zeit ein Szeneviertel (Seite 33)

3 Book of Kells in Dublin
Jeden Tag eine neue Seite: Der größte Schatz des Landes ist ein 1200 Jahre altes Evangeliar (Seite 33)

4 Monasterboice
Erhabene Hochkreuze künden vom frühen Christentum der grünen Insel (Seite 40)

5 Newgrange
Wunder der Architektur, das seit 5000 Jahren zur Wintersonnenwende eine Überraschung liefert (Seite 40)

6 Bantry
Ein Herrenhaus am Meer, das immer noch lebt: besichtigen oder übernachten! (Seite 50)

7 Youghal
Ein Städtchen wie aus dem Bilderbuch und an jeder Ecke ein neuer schöner Anblick (Seite 53)

Amüsierviertel Temple Bar

Atemberaubende Cliffs of Moher

8 Muckross House
Irland besitzt viele feine Herrenhäuser der Vergangenheit, dies ist das prachtvollste von allen (Seite 54)

9 Ring of Kerry
Die Mischung macht's: irische Landschaft aus Steilküste, Strand, Brandung, Bergen und grünen Tälern (Seite 56)

10 Aran Islands
Ein keltisches Ringfort am Abgrund - das gälische Irland: Hier lebt es weiter (Seite 66)

11 Cliffs of Moher
Nur für Schwindelfreie: 200 m abwärts – eine Steilküste, die es in sich hat (Seite 68)

12 Connemara
Ideal für eine Tour mit dem Fahrrad: Connemara ist lieblich und wild zugleich (Seite 68)

13 Kilkenny Castle
Ein großartiges Schloss, perfekt restauriert und mit grandioser Ausstattung (Seite 81)

Hochherrschaftliches Bantry House

14 Kilkenny Design Centre
Stallungen mit Kunst: neues Design in prächtigem altem Rahmen (Seite 82)

15 Rock of Cashel
Ein mächtiger Berg mit langer Geschichte, ein in den Himmel ragendes Heiligtum (Seite 84)

★ *Die Highlights sind in der Karte auf dem hinteren Umschlag eingetragen*

Entdecken Sie Irland!

Urige Pubs und gesprächige Iren, von Efeu umwucherte, uralte Ringforts, grüne Hügel und klares Wasser

Failte go Eireann: Willkommen in Irland. Irland, das sind seine Menschen und Geschichten, seine Dörfer, Berge, Wälder und Flüsse, das Meer, Seen und Quellen, seine *pubs* und *stores,* große und kleine Steinhäuser. Irland: Das sind Vergangenheit und Gegenwart, seine Politik, die Norden und Süden trennt.

Naturliebhaber zieht es schon lange nach Irland. Einsame Buchten, in denen nur das Gekreische der Vögel und das Wellenrauschen die Ruhe unterbrechen, Dörfer von sprödem Charme, Küsten, an denen die Klippen steil in die Tiefe fallen. Bekanntschaften sind schnell geschlossen, denn die Iren, diese so melancholisch-heiteren Geschichtenerzähler, sprechen jeden an. Standardthema ist das Wetter: »Isn't it a nice day?« hört man bei Regen und Sturm, auf sonnigen Höhen und in einsamen Tälern. Vielleicht haben die Iren ja tatsächlich alle den Blarney Stone geküsst. Wer sich traut, rückwärts und in beträchtlicher Höhe auf den Zinnen des Blarney Castle den in die Brustwehr eingelassenen Stein zu küssen, dem wird ewige Beredsamkeit zuteil, sagen die Iren. Die Freude über die Schönheit ihres Landes verbergen sie jedenfalls nicht.

Blaues Meer und grünes Land: Für Naturliebhaber hält Irland viele schöne Ecken bereit

Wetten – eine irische Passion

Das feuchtmilde irische Klima schuf eine unvergleichliche Landschaft. Rechts und links der holprigschmalen Straßen identifiziert man auf Anhieb die viel besungenen »forty shades of green«. Im lichten Schatten von Ahorn und Kiefer und von jahrzehntealten Baumriesen blühen Azaleen und Rhododendren, wachsen Farne und Gräser. Fuchsienhecken säumen die Wege.

Failte go Eireann: Welcome to Ireland – die Landessprache ist Englisch. Die Angaben darüber, wie viele Menschen heute noch in der Lage sind, die alte keltische Sprache Gälisch zu verstehen und zu spre-

Geschichtstabelle

6000 v. Chr. In der Steinzeit erreichen die ersten Siedler, Jäger und Fischer aus dem Mittelmeerraum, die Irische Insel

400 v. Chr.–2. Jh. n. Chr. Kelten spanischen Ursprungs kommen nach Irland und siedeln in vielen kleinen Königreichen. Der Handel mit Britannien und dem römischen Gallien führt zur Christianisierung der ersten Kelten

8. Jh. Das Christentum ist im gesamten Irland verbreitet, das Schulwesen eingeführt, kirchliche Führer sind den weltlichen gleichgestellt

9. Jh. Wikinger aus Skandinavien überfallen die reich gewordenen irischen Klöster und errichten an der irischen Küste befestigte Stützpunkte

10. Jh. Die keltischen Iren setzen sich gegenüber den Eroberungen der Wikinger zur Wehr

1534 Heinrich VIII., König von England, unterwirft Irland in der Schlacht von Maynooth. Gegen Ende des 16. Jhs. beginnt der Widerstand der katholisch-keltischen Iren gegen die Engländer

1689 Jakob II. von England will die katholische Vormacht in Irland wiederherstellen. Wilhelm von Oranien, aus Holland von den Protestanten zu Hilfe gerufen, landet mit französischen Truppen in Kinsale Im Vertrag von Limerick wird 1691 ein Friede geschlossen, der die Protestanten begünstigt

1845 Irland hat eine Bevölkerung von 8,5 Mio. Kartoffelmissernten führen zu einer Hungersnot, in deren Verlauf eine Million Menschen sterben und eine weitere Million das Land verlassen

1916 Die Partei Sinn Féin (wir für uns) bildet ein irisches Parlament (Déil Eireann), Präsident wird Eamon de Valera. England antwortet mit Waffengewalt, und es bildet sich die Irisch-Republikanische Armee (IRA). Die Insel wird politisch geteilt

1956 Die ersten Gewaltakte erschüttern Nordirland

1969 Protestanten beginnen mit Gewalttätigkeiten gegen Katholiken, britische Truppen werden in Nordirland verstärkt, die IRA unterstützt die katholische Verteidigung

1973 Irland tritt der EG bei

1998 Die Mehrheit der Iren stimmt für ein Friedensabkommen

2001 Irlands Wirtschaft boomt wie nie zuvor. Allerdings: Mit einer Inflationsrate von 5,6 Prozent (im 1. Halbjahr 2001) werden die EU-Normen überschritten. Irland wird von den Finanzministern der EU gerügt

chen, sind höchst unterschiedlich und bewegen sich zwischen fünf und zehn Prozent. Daneben existieren eine ganze Reihe unterschiedlicher Dialekte: Corkonisch wird zum Beispiel von den Corkonians, den Einwohnern Corks, der zweitgrößten Stadt des Landes, gesprochen. Und das Corkonische, so wird selbstbewusst dargelegt, ist verwurzelt mit dem Normannischen, dem Altfranzösischen und dem Englischen des Mittelalters. Selbst Elemente des indischen Hindi seien in diesem Dialekt zu identifizieren.

» Mildes Klima und eine wunderbare Landschaft warten auf Sie «

Die Größe der irischen Städte ist eher bescheiden. Dublin, die Hauptstadt des Landes, zählt um die 600 000 Einwohner (nur mit den zahlreichen neuen Vorstädten und den umliegenden Kleinstädten kommt man auf die eine Million, die gern von den Bewohnern angegeben wird), Cork etwa 140 000, und Limerick, die drittgrößte Stadt, zählt nur noch 75 000 Einwohner. Die Städte haben einen höchst eigenwilligen Charme. Sie besitzen – wie auch jedes Dorf – Persönlichkeit. Wohlgemerkt: Persönlichkeit, erst in zweiter Linie Schönheit. Der schnellste Weg, diese Persönlichkeit kennen zu lernen und zu entdecken, ist Nähe. Das heißt für Irland: spazieren gehen und schauen, was auf den Straßen passiert, wer sich mit wem trifft, wo und ab wann die Zeitung vom Straßenhändler verkauft wird.

Ferien in Irland, das läuft oftmals auf sportliche Betätigung hinaus. Die Iren lieben Golf und *pitch and putt,* eine Miniversion des Golfs. Über 300 Golfclubs werden auf der Grünen Insel gezählt, und man ist stolz darauf, dass sich im Umkreis von 30 km stets ein Areal findet. Die Plätze im Landesinneren bestechen durch ihre parkähnlichen Flächen, während die an der Küste atemraubende Ausblicke erlauben.

Neben Naturschönheiten bietet sich dem Reisenden in Irland ein großer Reichtum an prähistorischen und mittelalterlichen Kulturschätzen, nämlich alten Kirchen, Druidensteinen, aus der Bronzezeit stammenden Grabkammern und Ruinen zahlloser Burgen aus der Normannenzeit. Prähistorischen Zeugnissen begegnet man vielerorts. Zu den herausragenden gehören Dun Aengus, ein Steinfort auf den Aran-Inseln, sowie eine Grabkammer, mehr als 5000 Jahre alt, in Newgrange (Grafschaft Meath). Alljährlich am 21. Dezember offenbart sich ein bezauberndes Lichtspiel, wenn durch eine Öffnung Sonnenstrahlen in das Innere der Anlage fallen. Die frühe Christianisierung hinterließ ihre Spuren in Mönchszellen, Hochkreuzen, Rundtürmen und Klosteranlagen. Um 1000 n. Chr. entstand zum Beispiel die Klostersiedlung in

Muckross House, ganz viktorianisch

Gälisch-Englische Orientierungshilfe

Glendalough (Grafschaft Wicklow). Erhalten sind jedoch nur noch der Chor und das Kirchenschiff. Aus dem 8. Jh. stammt das Gallarus Oratory, ein Gebetshaus auf der Dingle-Halbinsel.

An den schönsten Stellen des Landes erbauten britische Adlige vor weit mehr als 300 Jahren ihre *mansion houses,* herrschaftliche Landsitze, die im Laufe der Zeit mit der sie umgebenden Landschaft gleichsam zusammenwuchsen. Typisch sind ihre von Efeu und Wein umrankten Eingangsportale, ihre hohen Sprossenfenster, umrahmt von Stuck, ihre bruchsteingemauerten Stallungen und turmgekrönten Wächterhäuschen, ihre Wintergärten in viktorianischem Stil mit Mosaikfußböden und gusseisernen Verzierungen. Viele der Herrenhäuser, Burgen und Schlösser haben heute ihre Tore einem zahlenden Publikum geöffnet, dienen als Restaurants oder Hotels. Originalgetreu ist meist das Interieur: mannshohe offene Kamine, holzgetäfelte Bibliotheken, sanft geschwungene Freitreppen und mit Antiquitäten und Gemälden großzügig ausgestattete Zimmer.

Eine Reise nach Irland ist immer auch eine Reise in die Vergangenheit. »Als Gott die Zeit machte, hat er genug davon gemacht«, schreibt Heinrich Böll in seinem »Irischen Tagebuch«, was nichts anderes heißen soll, als dass sich auch der Urlauber für gemächliches Reisen Zeit nehmen soll. Zum Beispiel wenn der Schiffsverkehr auf die kleine irische Insel erst am nächsten Tag wieder aufgenommen wird oder wenn es regnet und der geplante Ausflug ins Wasser fällt. Father O'Shea erzählt uns eine Anekdote, nach der ein Mexikaner einen Iren fragte, welches das irische Wort für *mañana* (morgen) sei, und der Ire antwortete: »Wir kennen kein Wort, das solche Eile ausdrückt.«

» *Eile mit Weile: die irische Lebensart* «

Irland im Frühjahr: Das sind riesige blühende, wild wachsende Rhododendronbüsche, ausgedehnte Fuchsienhaine, sattgrün leuchtende Wiesen, Vogelkolonien an den Steilküsten, ein Zauber des Lichts, der sich jeder Beschreibung entzieht. Die Westküste Irlands lockt die meisten Besucher an. Im Süden beeindruckt der Ring of Kerry, eine atemraubend schöne Straße am Meer. Die Küste im mittleren Westen zeigt sich rau mit ihren Kliffen und Bergen aus Granit und Quarz. Im Osten gibt es Dünenstrände und mit Heide bewachsene Hochplateaus. Der Nordwesten wiederum ist Gaeltacht-Gebiet (in dem die gälische Sprache noch verbreitet ist); hier finden sich Hochmoore sowie ein Nationalpark inmitten einer unerschlossenen Bergwelt.

»Jeder nimmt am anderen Anteil«

Irland ist wie eh und je der Inbegriff für saubere Luft, für unverdorbene Natur, für klares Wasser, für Gastfreundschaft und Herzlichkeit. Dennoch darf nichts darüber hinweg täuschen, dass Irland eine Insel mit vielen Problemen ist. Da ist zum Beispiel der Nordirlandkonflikt. Nach der Teilung des Landes (1921) waren die daraus resultierenden Schwierigkeiten vorherzusehen. Bis heute dauern die blutigen Unruhen in Nordirland, der Provinz Ulster, an, und die Anschläge der IRA (Irish Republican Army) dehnten sich auf London und das europäische Festland aus. 1998 schien sich mit dem Karfreitagsabkommen, das für Nordirland Autonomie und im Gegenzug eine Entwaffnung der IRA vorsah, eine friedliche Lösung des Konflikts abzuzeichnen, obwohl viele die Hoffnung schon verloren hatten. 2001 aber wurde das Abkommen von Splittergruppen der IRA wieder gebrochen, Unzufriedenheit mit den Verhandlungen machte sich breit, sodass von einer Stabilisierung der Lage nicht die Rede sein kann.

Von inneririschen Problemen erfährt der Besucher nur am Rande. Weitgehend intakte dörfliche Gemeinschaften – in denen tatsächlich jeder jeden kennt und Anteil am anderen nimmt – und die sympathisch lebensbejahende Art der Iren rücken die dunklen Wolken in die Ferne. Chris de Burgh: »Es ist ein großartiger Platz, um Kinder großzuziehen... Es ist ein toller Platz zum Leben. Ich denke, dass Irland der schönste Platz auf diesem Planeten ist«.

Irische Wettleidenschaft

Passion vieler Iren ist das Wetten auf Pferde und Windhunde (greyhounds)

Die Greyhoundrennen wurden in der Vergangenheit als der Sport der kleinen Leute bezeichnet. In der Tat treffen sich beim mehrmals wöchentlich stattfindenden Rennen Menschen verschiedener sozialer Klassen. Auf den ersten Blick fällt auf, dass niemand sich besonders in Schale geworfen hat. Auf den insgesamt neun staatseigenen Plätzen zwischen Dublin, Cork und Galway sind es die Hunde, auf die es vor allem ankommt, Kleidung hingegen spielt eine Nebenrolle. Auffällig sind die vielen kleinen Wettbüros, die zum Teil als Einmannbetriebe auf Bierkästen stehend Wetten in letzter Minute annehmen.

Von Gärten bis zum Musizieren

Irland ist ein Land voller Musik und landschaftlicher Schönheit

Bevölkerung

Die Bevölkerungsstruktur lässt eine Zunahme der über 65-Jährigen erkennen – eine Entwicklung, die auf den ersten Blick verwunderlich erscheint, wenn man an den Kinderreichtum der Iren denkt: Denn sechs oder sieben Kinder pro Familie waren in Irland bis in die jüngste Vergangenheit keine Seltenheit. Irland, mit 70 000 km² etwa so groß wie Bayern, war bis vor einigen Jahren ein klassisches Emigrationsland, jedes Jahr wanderten Tausende vornehmlich jüngerer Iren nach Übersee aus. Seit den Fünfzigerjahren stiegen die Quoten enorm an. Der höchste Stand wurde 1989 registriert, als 46 000 Menschen ihre Heimat verließen. 1994 fiel die Zahl auf 6000, und heute kehren immer mehr zurück. George Bernard Shaw, der berühmte irische Dramatiker, bemerkte einmal zynisch, dass Irland nicht umsonst existiert, »solange es Männer hervorbringt, die vernünftig genug sind, auszuwandern«. Es waren in der Regel gut ausgebildete Menschen, die versuchten, in der Fremde, in den Vereinigten Staaten oder in England, ein Auskommen zu finden. Vor der großen Hungersnot *(the great famine)* hatte Irland mehr als 8 Mio. Einwohner, heute sind es gerade noch 3,8 Mio.

Die Violine, von den Iren »fiddle« genannt, ist aus der irischen Musikszene nicht wegzudenken

Fauna und Flora

Die niedrige Bevölkerungszahl ist gleichbedeutend mit einer geringen Landnutzung. (Hoch-) Moore, Dünen und Feuchtland, die überall sonst rar geworden sind, konnten in Irland daher überdauern. Hier konzentrieren sich Heidekraut, Flechten- und Moosarten. Zu den botanisch besonders interessanten Gebieten gehört der Burren in der Grafschaft Clare: Auf karbonhaltigem Kalkstein wachsen sowohl arktische und alpine als auch mediterrane Pflanzen wie seltene Orchideenarten. Subtropische Bäume und Pflanzen gedeihen bei Killarney und Glengarriff (Kerry). Im Frühsommer und Sommer begeistern wild wachsende, verschwenderisch blühende Rhododendren und Fuchsienhecken. Leider sind die irischen Wälder im 17. Jh. zum großen Teil gerodet worden.

Knapp 400 Vogelarten sind in Irland gezählt worden. Die lange

Im milden Klima Irlands gedeihen auch tropische Pflanzen

Küstenlinie mit ihren spektakulären Kliffen an der West- und Südwestküste sowie Hunderte von Inseln sind die Heimat riesiger Vogelkolonien.

Gaeltacht

Als Gaeltacht-Gebiete werden die Regionen im Westen Irlands bezeichnet, in denen die irische Sprache, nämlich Gälisch, noch heute gesprochen wird und in denen besondere traditionelle Sitten und Gebräuche erhalten geblieben sind. Vermutlich kam die gälische Sprache im ersten Jahrhundert v. Chr. nach Irland. Im 19. Jh. wurde sie von den Briten durch die englische Sprache ersetzt. Seit den 1890er-Jahren begann dann die Zeit der Wiederbelebung der gälischen Sprache. Offiziell ist Irland zweisprachig. Heute sprechen aber nur noch zwischen fünf und zehn Prozent der Iren Gälisch.

Gärten

Das milde irische Klima, hervorgerufen durch den warmen Golfstrom, und häufige kurze Regenschauer haben eine einzigartige Vegetation geschaffen, die in Europa ihresgleichen sucht. Insbesondere in den verschwenderisch angelegten irischen Gärten gedeiht eine ungeheure Vielfalt an Bäumen, Büschen, Sträuchern und Blumen. Häufig umgeben parkartig angelegte Gärten, teilweise mit Golfplatz, ein historisches Gebäude, etwa ein Schloss, eine Burg oder einen Gutshof. Vor über einem Jahrhundert geschaffene kunstvolle Anlagen mit majestätischen Rosenarrangements, exotischen Palmen, Rhododendren, Lilien, Farnen und Kamelien, mit kargen Steingärten und Wasserspielen wurden harmonisch in die sie umgebende Landschaft mit ihren Bergen, Seen und Hügeln integriert.

Hungersnot
Die größte Katastrophe in der irischen Geschichte, *the great famine,* ereignete sich 1845–1849. Schuld an der Misere war eine schreckliche Armut, hervorgerufen durch englische Misswirtschaft: Der Landbesitz der Iren war großenteils in den Händen englischer Großgrundbesitzer, und Getreide und Vieh mussten massenhaft nach England verschifft werden. Um die Konkurrenz auszuschalten, wurde der irische Handel mit dem Ausland eingeschränkt. Die irischen Bauern waren so arm, dass ihr einziges Nahrungsmittel die Kartoffel war, nur selten ergänzt durch Milch und Fisch. Zwischen 1816 und 1842 hatte es schon über ein Dutzend kleinere und größere Kartoffelkrankheiten gegeben. Im Herbst 1845 wurde die Kartoffel erneut von einer Pilzkrankheit befallen. In diesem und in den darauf folgenden Jahren wurden die Ernten vernichtet, die die Lebensgrundlage der Menschen bildeten. Während dieser Zeit starben eine Million der damals 8,5 Millionen Iren, und viele mussten auswandern.

Katholische Kirche
Die traditionell große Macht der Kirche ist in Irland in den vergangenen Jahren ein wenig eingeschränkt worden. In Sachen Scheidung und Schwangerschaftsabbruch hat sich das Land – gegen den Willen der Kirche – den EU-Nachbarn anpassen müssen, und seit einigen Jahren gibt es in öffentlichen Toiletten sogar Verkaufsautomaten für Kondome, jedoch nicht etwa wegen einer Liberalisierung beim Thema Sex und Geburtenkontrolle, sondern wegen Aids. Trotz solcher pragmatischen Anpassung bestimmt der Klerus allerdings nach wie vor das Alltagsleben.

Keltische Kunst
Kunst in Irland begann ursprünglich als abstrakte Kunst, als rituelle Dekoration von Gräbern in der frühen Bronzezeit. Die Kunst der Kelten bestand aus komplexen geometrischen Mustern mit Spiralen, Rauten, Triangeln und Quadraten. Diese Figuren wurden sorgsam in die Granitsteine von Gräbern und Grabkammern geschnitzt. Beim Gravieren folgte man der Form des

W. B. Yeats

Vom Senator zum Nobelpreisträger

William Butler Yeats, Poet, Dramatiker und Kritiker, wurde am 13. Juni 1865 in Dublin geboren. Er gehört zu den meist publizierten Lyrikern der Moderne und war Mitbegründer des Abbey Theater in Dublin. 1922 wurde er in den Senat des Irish Free State gewählt. Ein Jahr später erhielt er den Nobelpreis für Literatur. Er starb 1939. Wenn Sie von Galway nach Limerick fahren, finden Sie in der Nähe von Gort den aus dem 16. Jh. stammenden Turm Thoor Ballylee, den W. B. Yeats für zwölf Jahre als Sommerresidenz für sich und seine Frau George nutzte.

Steines. Die frühen keltischen Steindenkmäler, allen voran Newgrange, Dowth und Knowth, erinnern an das künstlerische Schaffen eines Volkes, das stets um Harmonie und um Rhythmus einfacher abstrakter Formen bemüht war.

Moore

Ein Geruch von Torf liegt über den irischen Dörfern, aufsteigend aus den Mooren und Feuern. Wer in Irland ein Grundstück erwirbt, erhält manchmal noch die alten »turbery rights«, das Recht, auf dem dörflichen *bog* das braune Gold Irlands zu stechen. Noch zu Anfang des 19. Jhs. waren 15 Prozent der Inselfläche mit Torfmooren, *bogs* genannt, bedeckt. Neben dem industriellen Abbau durch die 1946 gegründete *Bord na Mona,* die Torfkraftwerke betreibt, wird traditionell von Hand gestochen. Viele Gebiete stehen indes unter Naturschutz, auch jene des 7 m tiefen und 10 000 Jahre alten *Clara Bog* in der Grafschaft Offaly.

Musik

Die Iren sind nicht nur große Geschichtenerzähler, sondern auch große Musikanten. Am weitesten verbreitet sind Akkordeon, Blechflöte, Geige, *bodhran* (eine Art Trommel mit Stock), Violine, Querflöte und *uilleann pipe,* die irische Variante des Dudelsacks. Seit den Sechzigerjahren gibt es eine Bewegung, die die traditionelle Musik wieder aufleben lassen will, eingeleitet vom Komponisten Sean O'Riarda. Seitdem treffen die Musiker verstärkt zu Sessions, in Irland auch *seisiun* genannt, zusammen, bei denen ausgelassen gesungen, getanzt und musiziert wird.

Politik

Der irische Staat, der sich 1949 konstituierte, ist eine parlamentarische Republik. Das Parlament besteht aus zwei Kammern, dem Abgeordnetenhaus (Dail Eireann, 166 Mitglieder) sowie dem Senat (Seanad Eireann, 60 Mitglieder). Die Außenpolitik richtet sich auf eine Wiedervereinigung mit dem zum United Kingdom gehörenden Nordirland, auf die Integration in die Europäische Union und die Unterstützung von Ländern der Dritten Welt. Irland ist nicht Mitglied der Nato.

Travellers

Es gibt in Irland etwa 20 000 sogenannte Nichtsesshafte oder auch *tinkers.* Man sieht ihre Wohnwagen und Camps gewöhnlich an den Straßenrändern. Ihre Herkunft ist ungeklärt. So weiß man nicht, ob die *travellers* (so nennt man sie heute) nach der großen Hungersnot auf die Straße gingen. Die *travellers* sprechen Englisch, trotzdem hat ihre Muttersprache, nämlich Cant, überlebt. Aberglaube ist vielen *travellers* gemeinsam: Die Farbe Rot zum Beispiel dient der Abschreckung gegen den bösen Blick. Dies erklärt auch, warum ihre kleinen Kinder rote Schleifchen im Haar tragen. Neben Rot spielen auch die Farben Schwarz und Weiß eine wichtige Rolle: An Campierplätzen zurückgelassene rote und weiße Tücher verweisen auf einen guten Platz, schwarze Tücher hingegen bedeuten Ärger, beispielsweise (und immer wieder) mit den Sesshaften.

Ulster

Nordirland, auch Ulster genannt, besteht aus den sechs Grafschaften

Antrim, Armagh, Derry, Down, Fermanagh und Tyrone. 1920 wurde die Teilung Irlands beschlossen, am 22. Juni 1921 das nordirische Parlament gegründet. Dies geschah im Zuge des Osteraufstandes 1916, nach dem sich die souveräne Republik Irland konstituierte und ein anglo-irischer Krieg entfacht worden war. Die bis heute anhaltenden Unruhen in Ulster begannen Ende der Sechzigerjahre in Londonderry und Belfast als Bürgerrechtsdemonstrationen mit der Forderung von gleichen Rechten für Katholiken im Wahl- und Sozialrecht. 1973 scheiterte der Versuch einer politischen Machtteilung zwischen katholischer Minderheit und protestantischer Mehrheit. Die Friedensvereinbarungen von 1994 und 1998 haben die politische Lage etwas beruhigt, aber noch nicht entschärft.

Umweltschutz

In den vergangenen Jahren fand eine verstärkte Ansiedlung ausländischer chemischer und pharmazeutischer Industrien statt. Die Unternehmen hoffen insbesondere, von Steuervergünstigungen, die der irische Staat den Ansiedlern gewährt, und den niedrigen Stundenlöhnen zu profitieren. Teilweise stoßen die Ausländer auf massiven Protest der Umweltschützer. Mit Recht: So trat in der Vergangenheit die groteske Situation ein, dass es billiger war, einen Wasserweg zu verunreinigen und die Strafe zu zahlen, als von vornherein auf eine ordentliche Entsorgung zu achten.

Wetter

Das irische Wetter ist schön – zwischen den Regenschauern, *between the showers,* wie die Iren augenzwinkernd verraten. Aber Spaß beiseite, in Irland gibt es in der Tat *lots of weather,* etwa zu übersetzen mit »jede Menge Wetter«. Der wärmende Golfstrom sorgt für ein ganzjährig mildes Klima. Weiße Winter sind außerordentlich selten, und im Sommer steigt das Thermometer kaum über 20 Grad. Beständige Südwestwinde sorgen für eine dauernde Brise. Ein häufiger Begleiter ist der Regen, meist als kurzer Schauer oder *Irish mist,* das heißt Sprühregen.

Wirtschaft

Die Pro-Kopf-Produktion lag noch 1985 bei nur zwei Dritteln der britischen, zehn Jahre später schon bei 90 Prozent. Im Jahr 2000 wurde gleichgezogen und das Durchschnittsniveau der EU erreicht. Auf ausländische Firmen entfallen etwa zwei Drittel der Ausfuhr und rund die Hälfte der Produktion und der Beschäftigten. Die Arbeitslosigkeit liegt gegenwärtig bei 8, in strukturschwachen Gebieten bei 15 Prozent. Etwa 16 Prozent der Beschäftigten arbeiten in der Landwirtschaft. Die 1949 gegründete Irish Industrial Development Authority (IDA) soll die industrielle Entwicklung weiter vorantreiben. Sie vertritt eine unternehmerfreundliche Haltung: Um ausländische Firmen zu veranlassen, in Irland zu investieren, wird eine Reihe von Anreizen geschaffen. Das Irish Export Board fördert die Ausfuhr irischer Waren ins Ausland. Die angeheizte Wirtschaft führte zu kräftigen Lohnsteigerungen und in der Folge zu einer Erhöhung der Inflationsrate (5,6 Prozent im 1. Halbjahr 2001), was Ärger mit der EU nach sich zog.

Irish Stew und Guinness

Probieren Sie unbedingt auch die vielen Fischsorten und Schaltiere!

Die irische Küche zeichnet sich nicht durch große Vielfalt aus. Auf den Speisekarten der Restaurants dominieren Fleischgerichte, die zusammen mit Pommes frites und Gemüse (darunter fast immer Karotten) aufgetischt werden. Die Kartoffel gehört seit Jahrhunderten zum täglichen Essen der Iren, und deswegen erscheint sie auch in zahlreichen Rezepten. Recht groß ist die Auswahl an Fisch- und Meeresspezialitäten. Austern (in Irland außergewöhnlich preiswert), Hummer, Muscheln, Krabben sowie alle Sorten Fisch (auch Spezialitäten wie Haifisch, Thunfisch und Seewolf) glänzen auf mancher irischen Speisekarte.

Auch der alten Kunst der Käseherstellung wird gehuldigt. Zu den besten der *farmhouse cheeses* gehören der *Gubbeen*, ein halbfester Schnittkäse und *Gigginstown*, ein Rohmilchkäse. *Irish Goat*, ein brieähnlicher Ziegenkäse, der aus der Milch nordirischer Ziegen gewonnen wird, steht den mediterranen Angeboten in nichts nach. Zu empfehlen sind weiterhin *Cashel Blue* und *Burren Gold* sowie der dem Gruyère ähnliche *Gabriel*, (traditioneller Gebirgskäse) und *Desmond*, von weicherer Konsistenz.

Die besten Plätze im Pub sind immer noch die am Tresen

Die Preise für Restaurantmahlzeiten sind im Allgemeinen recht hoch, sie beginnen häufig erst bei 12 Euro. Eine gute Einrichtung sind die Touristenmenüs: dreigängige Menüzusammenstellungen zum festen Preis (10–12 Euro). Sie erkennen die Lokale, die solche Menüs anbieten, an einem kleinen grünen Schild (Kochgesicht mit -mütze und der Aufschrift *Special Value, Tourist Menu*).

In den gehobenen Restaurants ist es üblich, zuerst in der Lounge oder an der Bar einen Drink zu sich zu nehmen, bevor man dann später einen Platz zugewiesen bekommt.

Neben Restaurants (häufig erst zum Abendessen geöffnet) bieten Cafés und Pubs kleine Snacks an (etwa *pub grub*, so genanntes Kneipenfutter, meist Salat, Sandwich, Suppe). Fastfoodlokale schießen in den größeren Ortschaften aus dem Boden, sie stellen eine Ergänzung der angelsächsischen Version der *Fish-&-Chips*-Buden dar; bei den Letzteren vorher sicher stellen, dass der angebotene Fisch auch frisch ist und nicht tiefgekühlt, *deep frozen*!

Irische Spezialitäten

Lassen Sie sich diese Köstlichkeiten gut schmecken!

Speisen

boxty – Irische Version der Schweizer Rösti

cais nan deise – Hartkäse mit nussartigem Aroma (ring cheese)

coddle – Eintopf aus Kartoffeln, Wurst, Zwiebeln und Speck

crubeen – Schweinsfüße, deftig gewürzt und geräuchert, auch gepökelt

fish & chips – frittiertes Fischfilet und Kartoffeln oder Pommes frites

high tea – Nachmittagstee und Dinner in einem (mit Tee, Brot, Wurst, Käse, Eiern, Speck)

Irish stew – Nationalgericht, ein Eintopf aus Kartoffeln, Weißkohl, Lammfleisch und meist Karotten

kippers – Gebratene Heringe, die beim »Full Irish Breakfast« nicht fehlen dürfen

lamb with mintsauce – Lamm mit saurer Minzsoße/sauce

porridge – Warmer Haferflockenbrei, zum Frühstück meist mit Sahne oder Milch serviert

rasher – Beim »Full Irish Breakfast« fehlen nie »fried rashers«, d.h. gebratene Schinkenspeckscheiben

seafood – Zu den erlesenen Meeresfrüchten gehören oysters (Austern), prawns (Garnelen), salmon (Lachs) monkfish (Seeteufel) und lobster (Hummer).

shepherd's pie – Fleischauflauf, mit Kartoffelbrei überbacken

smoked salmon – Räucherlachs (vom wilden Lachs, in der Regel hell und teurer, oder von der Lachsfarm, gewöhnlich rosa und fett)

soda brown bread – Vollkornsodabrot. statt der Hefe wird Soda als Triebmittel verwendet

fried woodcock – Sorgfältig gerupfte, nicht ausgenommene und mit Kopf gebratene Waldschnepfe, mit einer Speckscheibe umwickelt

Getränke

cider – Moussierendes Apfelweingetränk mit niedrigem Alkoholgehalt

Guinness – Bekannteste Marke unter den dunklen Bieren (stout)

Irish Coffee – Starker heißer Kaffee mit braunem Zucker, einem Schuss Whiskey und Sahnehaube

spring water – Quellwasser in Flaschen, ein erfrischendes Trinkwasser, wie z.B. das Kerry Spring Water

Zum Frühstück isst man in Irland reichhaltig: Orangensaft, *porridge* (Haferflockenbrei) und *cereals*, Eier und Würstchen sowie Speck ergänzen den Tee oder Kaffee. Dazu gereicht werden *soda brown bread* und Toast. Während der Mittagspause *(lunch hour)* nehmen die Iren oft nur einen leichten Snack ein, Berufstätige essen häufig im nächsten Pub eine Suppe oder ein Sandwich. In den Zentren sind die Gaststätten dann meist voll. Die Hauptmahlzeit findet abends statt, und darauf haben sich die Restaurants eingerichtet. Immer mehr in Vergessenheit gerät der so genannte *high tea*, eine leichte Mahlzeit zwischen 17 und 19 Uhr, die aus Tee oder Kaffee, Brot, Eiern, Speck und Schinken, eventuell auch einem kleinen Steak sowie Kuchen besteht.

Die Iren sind Teetrinker und genießen das Getränk mit Milch und Zucker. Zwei bekannte Teefirmen, die die Kunst des Mischens (Verblenden) beherrschen, sind Barry (Cork) und Bewley (Dublin).

Der Pub (von *public house*) ist in Irland weit mehr als eine Kneipe, in der Alkohol verkauft wird. Er ist ein Treffpunkt, um zu reden, zu musizieren, über die Politik zu klatschen, sich Gehör zu verschaffen, anderen zuzuhören. Im Pub begegnen sich Leute aller sozialen Schichten, aller Altersgruppen, in früheren Zeiten (und auf dem Land noch heute) vornehmlich Männer. Pubs in Irland sind zweigeteilt: in eine Lounge, in der die Ladies mit ihren Ehemännern zusammensitzen oder mit einer Freundin plaudern, und die Bar (Ausschankraum). Man muss seine Getränke am Tresen bestellen und auch gleich dort bezahlen. Iren geben

Pubs sind Orte der Geselligkeit

gern und häufig Runden aus, und zwar immer nach dem Prinzip: Jeder ist dran, und keiner verlässt den Tatort, bevor er nicht auch eine Runde ausgegeben hat. Die Pubs sind im allgemeinen von 10 bis 24 Uhr, an Sonntagen von 16 bis 23 Uhr geöffnet. Jugendliche unter 18 Jahren finden nur selten Einlass, und das Mindestalter für einen Sitzplatz an der Theke beträgt 21 Jahre.

Guinness ist der Markenname für dunkles Bier *(stout)*, daneben sind in Irland Beamish und Murphy's beliebt. Wer ein *stout* bestellt, erhält ein *pint* (etwa einen halben Liter). Wem das zu viel ist, der bestellt *half a pint* oder einfach ein Glas, *a glass*. Ein *lager* ist ein helles Bier, und es gibt zahlreiche Sorten, darunter Harp und Heineken. Wer *bitter* verlangt, dem wird häufig Smithwicks ausgeschenkt. Wegen der hohen Alkoholsteuer ist irischer Whiskey teurer als in Deutschland. Zu den bekanntesten Sorten gehören Paddy's und Jameson.

5 TWICE AS NICE

Aran Sweaters und Tweed

Stricksachen und Webarbeiten gehören zu den beliebten Mitbringseln

In Irland locken Einkaufsangebote, die das Leben angenehmer machen: Strickpullover und Tweedjacken, Angelausrüstungen und – für das leibliche Wohl – geräucherter Wildlachs. Ausgesuchte Qualität statt überwältigende Fülle ist die Devise. Junge Leute mögen die in bunten Farben gestrickten Pullover, die zahlreichen Discount- und Secondhandläden jenseits des Kanals.

Große Warenhäuser gibt es nur in Dublin, Cork und Limerick. Viel aufregender sind ohnehin die kleinen Läden, die sich auf Schmuck mit altkeltischen Motiven spezialisiert haben, auf Filmplakate oder wohl riechende Seifen und Tinkturen. Häufig findet man auch noch *stores*, die vom Tabak über die Angelschnur und Gummistiefel bis zur Daily Mail ziemlich alles bereit halten, was der Landmensch zum Leben braucht.

Die meisten Besucher schätzen die Tea- und Coffeeshops, die gleichzeitig als Buchgeschäfte, Galerien (mit Werken jüngerer Künstler) und Verkaufsausstellungen (für Kleidung, Schmuck und Kunstwerk) fungieren. Mit den steigenden Fremdenverkehrszahlen besann man sich auf traditionelles (Kunst-) Handwerk. Wieder belebt wurde die alte Kunst des Töpferns. Besonders im Süden Irlands befinden sich zahlreiche Töpfereien, von denen jede ihr eigenes typisches Design entwickelt hat. Begehrt sind althergebrachte Formen und kleinflorale Muster.

Strickwaren und Tweed sind seit langem die Renner bei Touristen, die ein Erinnerungsstück suchen

Die Geschäfte sind normalerweise von 9 oder 9.30 Uhr bis 17.30 bzw. 18 Uhr geöffnet. An Sonntagen haben nur einzelne Supermärkte offen.

Kleidung

Stricksachen und Webarbeiten gehören zu den Favoriten beim Einkauf. Die berühmten Aran Sweaters werden in Irland seit ewigen Zeiten gestrickt, das jeweilige Strickmuster verwies symbolhaft auf das Leben der Iren als Fischersleute und diente der Identifizierung ertrunkener Seeleute. Traditionell werden die Aran Sweaters aus ungefärbter, beiger Wolle gestrickt. Die echten Pullover kosten um 100 Euro und tragen eingenäht den Namen der Strickerin. Handgewebte Tweedsachen (Decken, Schals, Bekleidung)

Shamrock

Mit dem Kleeblatt soll der heilige Patrick die Dreifaltigkeit erklärt haben

Das Kleeblatt *(shamrock)* ist das irische Nationalzeichen. Dem Besucher begegnet das grüne Symbol auf Schritt und Tritt: Es leuchtet von Pullovern und Ansichtskarten, wird aus Plüsch und Plastik gefertigt, aus Hefeteig in Bäckereien vertrieben, als Blumenstrauß und im Topf an der Straßenecke feilgeboten. Zum Nationalfeiertag am 17. März, dem St. Patrick's Day, heften sich die Iren ein Kleeblatt an die Brust.

stammen aus der Grafschaft Donegal und genießen weltweit einen guten Ruf. Groß ist die Auswahl an Tweedjacken in gediegenen Erdtönen, klassisch streng geschnitten, mit Lederflicken und Lederknöpfen bestückt, gut anzuschauen. Das zu Anfang steif erscheinende Tweed passt sich im Laufe der Zeit dem Träger an und wird mit den Jahren immer schöner. Zu den renommierten Marken gehören Magee und Harris.

Regenjacken und -mäntel aus gewachster Baumwolle gibt es von Dutzenden verschiedener Hersteller in allen Preisklassen – und natürlich die unentbehrlichen Gummistiefel *(Wellington Boots)*, vorzugsweise aus Kautschuk.

Reiter stöbern in den einschlägigen Shops, denn weitaus größer als hierzulande ist die Auswahl auf der Grünen Insel. Für Kinder gibt es günstig Reiterhosen und -westen, auch Erwachsene erhalten mit Sicherheit das richtige Outfit, sei es für ein Turnier oder die Fuchsjagd. Für Angler, Jäger und Golfer hält Irland ebenfalls ein reichhaltiges Angebot an Spezialkleidung und Utensilien bereit.

Kristall

Nicht nur US-Amerikaner schwören auf irisches Kristall, das in Nordamerika einen besonders guten Ruf genießt. Üppig glänzende Kristalllüster schmücken so manchen Regierungspalast, so manches Museum. Gleich mehrere Unternehmen beherrschen die Kunst der Herstellung. Der renommierteste Betrieb liegt weiterhin in Waterford und bietet das Waterford Crystal. In dem 1783 von den Gebrüdern George und William Penrose gegründeten und 1947 wieder neu etablierten Unternehmen werden sowohl jahrhundertealte Formen aufgelegt als auch modernes Design verwendet. Das Kristall der irischen Betriebe enthält 33 Prozent Bleioxyd.

Insider Tipp

Kulinarisches

Als Mitbringsel empfiehlt sich geräucherter Wildlachs, eine seltene Delikatesse – zudem weniger fetthaltig als der auf dem Kontinent erhältliche Zuchtlachs, der seine rote Farbe häufig durch chemische Futterzugaben statt durch sein natürliches Futter (Kleinkrebse, genannt Krill) erhält. Im Dubliner Flughafen ebenfalls erhältlich sind *farmhouse cheeses,* köstliche Rohmilchkäse.

Kunsthandwerk
In Kunstgeschäften und Kunstgalerien finden Sie eine reichhaltige Auswahl an Bildern, Keramik, bedruckten Stoffen sowie Schmuck. Dabei wird das jahrhundertealte keltische Claddagh-Design (zwei Hände halten ein gekröntes Herz) heute für die Herstellung von Ringen und Ohrringen verwendet. Daneben gibt es Nachbildungen alter keltischer Spangen.

Marmor
Marmor aus den Felsablagerungen des Connemara-Gebietes findet Verwendung in dekorativen nützlichen Dingen, z.B. Buchstützen.

Musik
Musikkassetten irischer Volksmusik und Musikinstrumente (Flöte, Harfe, Fidel) werden gern als Andenken gekauft. Neben den auch im Ausland erfolgreichen Gruppen (wie den Dubliners und den Furys) bieten sich insbesondere lokal beliebte Volkssänger an, von denen man in Irland eine Menge hört.

Spitze
Irische Spitze, z. B. verarbeitet in Tischdecken und Taschentüchern, stammt traditionell aus Limerick und Carrickmacross. Landesweit bekannt und preiswert ist irisches Leinen, verarbeitet zu Geschirrtüchern und Bettwäsche.

Whiskey
Zu den häufigsten Spirituosen gehört Whiskey: Paddy's und Jameson sowie der in Nordirland in der ältesten Destillerie der Welt hergestellte Bushmills. Schauen Sie nach den zehn oder zwölf Jahre alten Sorten!

Typischer Laden in Galway: Gestricktes, Gewebtes, Geflochtenes

Feste, Events und mehr

Ohne Musik und Tanz mögen die Iren weder Viehmarkt noch Literaturfestival

Der Inselsommer ist vollgepackt mit Feten und Festivals, einige davon – wie das Cork Jazz Festival oder die Dublin Horse Show – sind international bekannt. Besucher schätzen besonders die dann gebotene Musik. Die *Fleadh* genannten Festivals sind ausschließlich der *traditional music* gewidmet, zu der auch getanzt wird.

Dubliner Pferdeschau

Gesetzliche Feiertage

1. Januar *Neujahr*
17. März *St.Patrick's Day (Nationalfeiertag)*
Ostermontag
1. Montag im Mai *(May Day)*
1. Montag im Juni *Bank Holiday*
1. Montag im Aug. *Bank Holiday*
Letzter Montag im Oktober *Bank Holiday*
25. Dezember *Weihnachten*
26. Dezember *St.Stephen's Day*

Festivals

Jeder irische Ort hat sein lokales Festival, und fast zu jedem Zeitpunkt ist irgendwo in Irland ein Fest. Es dreht sch dabei um Musik, Tanz, Pferde, Theater, Landwirtschaft, Sport, Boote, Rennen, Essen und Trinken. Ein Verzeichnis dieser Festivals, deren genaues Datum sich von Jahr zu Jahr geringfügig ändern kann, erhält man beim Irischen Fremdenverkehrsamt.

März

★ *St. Patrick's Festival, 16.–19. März:* Rund um den Nationalfeiertag St. Patrick's Day feiert Dublin 4 Tage auf der Straße und im Sinnenrausch: Umzüge, Tanz, Artistik, nonstopp Unterhaltung. *Dublin, Tel. 01/ 676 32 05, www.stpatricksday.ie*

Juni

Insider Tipp *Dublin Street Carnival, vier Tage Ende Juni:* Lustige Umzüge, komisches und satirisches Straßentheater, Guinness und Whiskey. *Tel. 01/602 40 00, Dublin*

Bloomsday, 16. Juni: Ein Tag im Leben des Leopold Bloom im Jahre 1904, von James Joyce im »Ulysses« in aller Ausführlichkeit beschrieben. Er wiederholt sich für seine Anhänger in Vorträgen, Spaziergängen, Kneipenbesuchen, und unvermeidlich ist dabei – nach der literarischen Vorlage – Gorgonzolakäse mit Rotwein.*Tel. 01/602 40 00*

Juli

Galway Arts Festival, zweite Monatshälfte: Zwei Wochen Kunst und Theater, Tanz und Musik, Literatur und Film. *Tel. 091/ 50 97 00, www.galwayartsfestival.ie, Galway*

August

Kilkenny Arts Festival, 10 Tage Mitte August: Vom Klassikkonzert in der Kathedrale bis zum Straßentheater. *Tel. 056/52175, www.kilkennyarts.ie, Kilkenny*

Insider Tipp *Fleadh Cheoil nah Eireann, zweite Monatshälfte:* Drei Tage lang irische Volksmusik in Pubs und Sälen, Hotels und Schulen, sogar auf der Straße, jedes Jahr an einem anderen Ort. *www.fleadhcheoil.com*

Dublin Horse Show, 5 Tage im August: Seit 130 Jahren: Dressur- und Springvorführungen, Pferdeshow, bedeutsamer Pferdemarkt irischer Züchter mit Verkauf *Tel. 01/602 40 00, Dublin*

Puck Fair, Mitte des Monats: Volksfest mit viel Musik, Viehmesse und 1 000 000 Besuchern, bei dem sich alles um einen Ziegenbock *(puck)* dreht. *Tel. 01/602 40 00*

September

Rose of Tralee International Festival, 5 Tage Anfang September: Ein Schönheitswettbewerb für junge Irinnen aus aller Welt mit zahlreichen Openairkonzerten und großem Unterhaltungsprogramm. *Tel. 066/7121322, www.roseoftralee.ie, Tralee*

Oktober

Guinness Jazz Festival, 4 Tage Ende Oktober: Seit Jahrzehnten eine fast legendäre Veranstaltung mit Jazzgrößen aus aller Welt, Sessions und Rhythmen an jeder Ecke der Stadt. *Tel. 21/278979, www.corkjazzfestival.com, Cork*

Wexford Festival Opera, 2. Oktoberhälfte: Seit 50 Jahren bietet die kleine Stadt jährlich vergessene und wenig bekannte Opern. *www.wexfordopera.com, Wexford*

Singing Pub in Doolin

Flusstäler und sanfte Berge

Die Gletscher der Eiszeit haben eine interessante Landschaft geschaffen

Die meisten Besucher Irlands treffen im Osten der Insel ein, entweder auf dem Flughafen in Dublin oder in den Fährhäfen an der Küste. Und für wiederum die meisten von ihnen ist die Ostküste Irlands eine Landschaft nur zum Durchfahren, die sie bald wieder verlassen. Dabei sollte man sich Zeit nehmen, zum Beispiel um die Hauptstadt der Grünen Insel zu erkunden, ein Mosaiksteinchen, das den Gesamteindruck, den das Land vermittelt, erst richtig abzurunden vermag.

Von Dublin aus braucht man mit dem Auto nicht mehr als eine knappe Stunde, um in die einsamen Täler des Landesinneren, die Wälder und Hügellandschaften der Wicklow Mountains zu gelangen. Die Berge der gleichnamigen Grafschaft sind ein großartiges Wanderparadies, und Teile des Wicklow Way können auch von ungeübten Wanderfreunden in Angriff genommen werden. Die Gletscher der Eiszeit haben hier eine einzigartige Landschaft hinterlassen und sanfte Hügel, Flusstäler und Seen geschaffen.

Die Bibliothek im Trinity College beherbergt alte Manuskripte

Erhabene Stille im alten Kloster zu Glendalough

DUBLIN

Karte in der hinteren Umschlagklappe

[121 D–E 5–6] Eine Stadt ändert ihr Image. Restaurierte Fassaden, frisch lackierte Eingangsportale, Schmiedeeisen und geschliffenes Aluminium, spiegelnde Fensterfronten und Edeldesigner – Dublins Stadtväter verordneten eine Schönheitskur. Doch selbst auf der schicken Grafton Street präsentiert sich Irlands Hauptstadt unverändert: Straßenmusikanten, Gedichte rezitierende Studenten, Zeitungshändler und Schulkinder, die für wohltätige Zwecke sammeln, prägen das Bild. Abends trifft man sich in einem der ungezählten Pubs bei Musik und

Gesprächen, bis es heißt: »last orders«.

1988 feierten die Dubliner das tausendjährige Bestehen ihrer Stadt. Die Geschichte der Hauptstadt spiegelt die Geschichte des Landes wider. Die Spuren der Wikinger, der ersten Siedler am Fluss Liffey, findet man heute in der Krypta der St.-Audoen's-Kirche, allerdings kaum noch als ehemalige Grundmauern zu erkennende Reste. Erst 988 eroberten Iren den nordischen Ort, mussten ihn jedoch 1170 wieder abgeben – an die siegreichen Normannen. Deren massive Stadtmauer ist heute teilweise noch zu sehen. Eine friedliche Invasion brachte Hugenotten nach Dublin, Flüchtlinge aus Frankreich. Das gegenwärtige Stadtbild geht auf das 18. Jh. zurück, als ganze Straßenzüge im »Georgian Style« mit seinen wunderschönen Fächerfenstern errichtet wurden. Ein gutes Beispiel ist der *Merrion Square*, und im *Haus Nr. 1* wuchs ab 1855 Oscar Wilde (1854–1900), irischer Nobelpreisträger für Literatur, auf *(Besichtigung Mo, Mi, Do 10 Uhr)*. Heute zählt die Hauptstadt 600 000 Einwohner, mit Vororten sind es rund 1,45 Mio.

SEHENSWERTES

Das Tourist Information Office in der Suffolk Street hält die Broschüre *Dublin Tourist Trail* bereit, mit der sich ein Spaziergang zu den Sehenswürdigkeiten der Stadt unternehmen lässt. Auch werden geführte Touren durch Dublin angeboten, die jeweils unterschiedliche Themen in den Mittelpunkt stellen. So führt ein ★ literarischer Spaziergang zu den Wirkungsstätten der großen irischen Schriftsteller, »Rock'n Stroll« auf Spuren irischer Rockmusiker, ein historischer »1000-Jahre-Weg« zu den geschichtlich bedeutsamen Plätzen

Insider Tipp

Im Dublin Castle kann man die ehemaligen Staatsgemächer besichtigen

MARCO POLO Highlights »Dublin und Umgebung«

★ **Ein Literaturspaziergang**
Wandeln Sie auf den Spuren von Jonathan Swift und James Joyce (Seite 30)

★ **Book of Kells**
Pro Tag gibt's nur zwei Seiten unter Glas (Seite 33)

★ **Temple Bar**
Im Hafenviertel pulsiert das Leben bis spät in die Nacht (Seite 33)

★ **Monasterboice**
Hochkreuze von einmaliger Schönheit (Seite 40)

★ **Newgrange**
Grabkammern aus der Vorzeit (Seite 40)

★ **Powerscourt Gardens**
Tee und Scones auf der Terrasse des Powerscourt House mit grandiosem Blick auf den Schlosspark (Seite 41)

seit 988 *(Teilnahme 5,80 Euro, täglich wechselndes Programm).*

Dublin Bus bietet täglich *Grand Dublin City Touren (2,5 Std., 9 Euro)* sowie eine *Dublin City Tour* zu interessanten Plätzen an, bei denen man beliebig aus- und beim nächsten Bus wieder einsteigen kann (9 Euro). Buchung im Büro. *59, Upper O'Connell Street, Tel. 01/873 42 22, www.dublinbus.ie*

Busverbindungen sind im Folgenden nur angegeben, wenn sich die beschriebenen Sehenswürdigkeiten außerhalb des Zentrums befinden.

Christ Church Cathedral **[U A4]**
Die protestantische Kirche wurde im 11. Jh. von den Wikingern errichtet. Im 12. Jh. bauten die Normannen sie bereits um, ihre heutige Gestalt erhielt sie jedoch erst im 19. Jh. Die Krypta stammt aus normannischer Zeit. Ein Porträt des Lebens im mittelalterlichen Dublin bietet die Multimediashow »Dublinia« in einem Nebengebäude der Kirche. Neben anschaulichen Modellen werden Szenen aus dem Alltag nachgestellt. *Mo–So 10–17 Uhr, Eintritt 5,20 Euro, St. Michael's Hill Christ Church Place*

Dublin Castle **[U B4]**
An der Stelle einer ehemaligen Wikingerfestung errichteten die Normannen im 13. Jh. ein Fort, von dem heute nur noch ein Turm steht. Das jetzige Gebäude stammt aus dem 19. Jh. und war Sitz der englischen Vizekönige. Sehenswert sind die ehemaligen Staatsgemächer *(State Apartments),* der Thronsaal und die St. Patrick's Hall mit ihren kostbaren Deckengemälden. *Mo–Fr 10–17, Sa/So 14–17, Eintritt 4 Euro, Dame Street*

Four Courts **[U A3]**
Das Gerichtsgebäude wurde Ende des 18. Jhs. in klassizistischem Stil errichtet. Der beeindruckende Bau bestimmt mit seinem korinthischen Eingangsportal das Nordufer der Liffey. Er wurde 1922 von den Eng-

ländern schwer beschädigt, jedoch vollkommen wiederhergestellt. *Gerichtssitzungen Mo–Fr, Inn's Quay, Bus 24 und 25*

Halfpenny Bridge **[U B3]**
Die Fußgängerbrücke aus Metall wurde im 19. Jh. über die Liffey gespannt und mittels Wegegebühren (1/2 *penny*) finanziert. *Zentrum, westlich der O'Connell Bridge*

Joyce-Statue in der Earl Street North

James Joyce Centre **[U E4]**
In einem georgianischem Stadthaus aus dem 18. Jh. ist das James-Joyce-Kulturzentrum mit Ausstellungen und der Ulysses Tearoom untergebracht; auch werden Stadtführungen zu den joycebezogenen Plätzen angeboten (7,80 Euro) *Mo–Sa 9.30–17, Sa/So 11–17 Uhr, 35, North Great George's Street, Eintritt 4 Euro*

Old Parliament **[U E3–4]**
Das seit 1800 im Besitz der Bank of Ireland befindliche ehemalige Parlamentsgebäude wurde im Jahr 1729 errichtet. Der Rundbau ist von Kolonnaden umgeben. Die korinthischen Anbauten im Osten und Westen wurden erst Ende des 18. Jhs. hinzugefügt. *Mo–Fr 10–16, Do bis 17 Uhr, Eintritt frei, College Street*

Phoenix Park **[O]**
Im riesigen Stadtpark, an seinem Wellington-Denkmal von weitem zu erkennen, findet man einen Zoo, Cricket- und Hurlingplätze, genügend Wanderwege, die Residenz der Staatspräsidentin und weitere georgianische Gebäude inmitten alten Baumbestandes und schöner Gärten. *Parkgate, im Westen der Stadt, Bus 25*

Royal Hospital **[O]**
Mitte des 17. Jhs. als Altersheim für Militärangehörige erbaut, heute in allen Einzelheiten restauriert. Sehenswert ist die Kapelle in der Great Hall. Das Gebäude dient als *National Centre for Culture and the Arts* mit Ausstellungen, Konzerten, Theater und anderen kulturellen Veranstaltungen. *Di–Sa 10–18, So 12–18 Uhr, Eintritt frei, Kilmainham, Tel. 01/671 86 66, Busse 68, 79, 90*

St. Patrick's Cathedral **[U A4–5]**
Auf den Ruinen eines normannischen Gotteshauses aus dem 12. Jh. errichtet, ihre heutige Form stammt aus dem Jahr 1860. Der durch sein satirisches Werk »Gullivers Reisen« bekannt gewordene Jonathan Swift war hier im 18. Jh. dreißig Jahre lang Dekan; sein Grab liegt am Südwesteingang. *Mo–Sa 9–18, So 10–11, 13–15 Uhr, Eintritt 2,60 Euro, St. Patrick's Close, Busse 50, 54, 56 A*

St. Stephen's Green **[U B–C5]**
Der Platz im Südteil der Stadt wurde Ende des 19. Jhs. als Park angelegt und enthält zahlreiche Denkmäler. Viele schöne Häuserfassaden, so das Shelbourne-Hotel, begrenzen die grüne Oase; am Wochenende viel Betrieb.

Temple Bar **[U B3]**
★ Straßenkunst und Rockmusik, alternative und alt eingesessene Läden, französische Haute Cuisine, Szenelokale und -restaurants, flippige Boutiquen – auf das alte Hafenviertel Temple Bar setzt selbst die Rockgruppe »U 2«. Besorgen Sie sich Detailkarten und einen Besichtigungspass (umfasst Plan, Ermäßigung und Verzeichnis der Anbieter) im *Information Centre, 18, Eustace Street, Tel. 01/671 57 17, zwischen Westmoreland und Fishamble Street, südlich der Halfpenny Bridge*

MUSEEN

Book of Kells **[U C4]**
★ Das Evangeliar von Kells, eine Prunkhandschrift, die wahrscheinlich um 800 von Mönchen in lateinischer Sprache angefertigt wurde, war ursprünglich ein einziger Band, der seit der Restaurierung (1953) in vier Bänden ausgestellt wird. Der international bekannte Schatz ist in gläsernen Kästen untergebracht, und täglich werden zwei von insgesamt 680 Seiten gezeigt. *Mo–Sa 9.30–17, So 12–16.30 Uhr, Eintritt 5,20 Euro, Trinity College, Old Library*

Dublin Writers' Museum **[U B2]**
Dichtermuseum im Stil angloirischer Wohnkultur. In einer georgianischen Stadtresidenz aus dem 18. Jh. ist die Weste von James Joyce ebenso zu sehen wie kostbare Erstausgaben von Oscar Wilde.

Das Künstlerviertel Temple Bar ist für Nachtschwärmer ein Muss

Schautafeln illustrieren die Geschichte irischer Literatur. Im »Irish Writers' Centre« nebenan treffen sich Dubliner Schriftsteller. Mit Restaurant und Café. *Mo–Sa 10 bis 17 (Juni–Aug. bis 18 Uhr), So 11–17 Uhr, Eintritt 4 Euro, 18 Parnell Square*

Guinness Museum **[O]**

Seit mehr als 200 Jahren wird das bekannte dunkle Bier in Europas größter Brauerei gebraut. Eine audiovisuelle Schau zeigt den Herstellungsablauf. Behindertengerecht, mit Bar auf dem Dach. *April–Sept. Mo–Sa 9.30–17, So 10.30–16.30 Uhr, Eintritt 6,50 Euro, Storehouse, Crane Street, Busse 51 B, 78 A, 123*

National Gallery **[U C4]**

Zu sehen sind im Wesentlichen Kunstwerke europäischen Ursprungs, darunter Arbeiten von Goya und Gainsborough. Alle bedeutenden irischen Maler sind vertreten. *Mo–Sa 10–18, Do bis 20.30, So 14–17 Uhr, Eintritt frei, Merrion Square West, neben Leinster House, www.nationalgallery.ie*

National Museum **[O]**

Das Geschichtsmuseum enthält Exponate von prähistorischer Zeit bis heute, Goldschmuckarbeiten aus der Bronzezeit, keltische Hochkreuze sowie eine Musikinstrumentensammlung, auch irisches Tafelsilber, historische Möbel und wissenschaftliche Geräte. Der Museumsshop bietet unter anderem Nachbildungen keltischer Schmuckstücke in Gold und Silber. *Di–Sa 10–17, So 14–17 Uhr, Eintritt frei, Collins Barracks, Benburb St., Dublin 7, Busse 39, 79*

Insider Tipp

Trinity College Library **[U C4]**

Die ehrwürdige Universität verfügt über den größten Buchbestand des Landes. Von den acht Bibliotheksgebäuden zieht die Old Library, 1712–1732 erbaut, die meisten Besucher an. Berühmt ist der Long Room, ein 70 m langer Lesesaal mit einer hölzernen Gewölbedecke. Sonnenblenden schützen die etwa 200 000 kostbaren Bände. Marmorbüsten aus dem 18. und 19. Jh. erinnern an Swift und andere Universitätsangehörige. In einem Schaukasten am Ende des Saales wird eine der ältesten irischen Harfen (ca. 14. Jh.) ausgestellt. Hier hängt auch die am Ostersonntag 1916 verlesene Proklamation der Irischen Republik. *Tgl. 9.30 bis 17 Uhr (im Winter auch So 12–16.30 Uhr) zwischen Nassau und Pearse Street, Eingang in der College Street, Eintritt 4,50 Euro*

ESSEN & TRINKEN

Bewley's Café **[U B4]**

Frühstück und Lunch, Tee und Nachtessen; alle Welt trifft man in diesem beliebten Café mit echter Dubliner Atmosphäre zu Kaffee oder Tee und *bun. Tgl. 9–23 Uhr, 78/79, Grafton Street, Tel. 01/ 677 67 61, €*

Ernies **[O]**

Irische Fisch- und Wildgerichte mit französischem Einschlag werden in einem U-förmigen Innenhof mit Blumenschmuck und Wasserspiel serviert; eine große Sammlung zeitgenössischer irischer Malerei schmückt die Wände. *Di–Sa mittags und abends, Mulberry Gardens, Donnybrook, Tel. 01/ 269 33 00, €€€*

Touristen auf Odyssee

Das Buch vor der Nase, den Kopf gesenkt: Joycefans in Dublin

James Joyce ließ seinen Helden Leopold Bloom im Roman »Ulysses« an einem Tag im Jahr 1904 in Dublin auf eine Odyssee gehen. Im 8. Kapitel wanderte er z.B. mittags vom Pressehaus zur National Library. Heute tun es ihm die Touristen nach: Sie suchen den Boden ab nach 14 großen Plaketten, die entlang der Route in den Fußweg eingelassen wurden. In der Hand ein Exemplar des »Ulysses«, lesen sie an der bronzenen Blume die entsprechende Stelle im Buch nach.

Fitzers National Gallery Restaurant [U C4]
Der schönste Zugang zu einem Restaurant führt durch sechs Säle der Nationalgalerie. *Mo–Sa 10–18, So 14–17 Uhr, National Gallery, Merrion Square West, €*

Kitty's Kaboodle [U C5]
Eng, voll und behaglich, die Wände dekoriert mit den Gemälden der Gäste; es gibt Pasta, Muscheln und auch deftige irische Kost. *14, Merrion Row, Tel. 01/662 33 51, €€*

Leo Burdock's [U A4]
Schon Mick Jagger und Edith Piaf orderten hier: Seit 1913 brät man *fish and chips,* sechs Sorten Fisch im hauchdünnen Teigmantel, serviert in Wachspapier. *Tgl. 11.30 bis 23.30 Uhr, 2, Werburgh Street, Christ Church Place, Tel. 01/454 03 06, €*

Pier 32 [U C5]
Traditionelles Restaurant im Grey-Door-Hotel, Spezialität sind Fischgerichte und Schaltiere; oft wird Livemusik gespielt. *Mo–Fr mittags, tgl. abends, 22/23, Upper Pembroke Street, Tel. 01/676 14 94, €€*

Trocadero [U B4]
Theaterrestaurant mit Szenepublikum, ab 18 Uhr günstiges *early bird menu.* Insider Tipp *Tgl. 12–23 Uhr, 3, St. Andrews Street, Tel. 01/677 55 45, €€*

Well Fed Café [U B3]
Seit langem die Nummer eins für vegetarisches (und preiswertes) Essen im bunten Temple-Bar-Distrikt gelegen. *Mo–Sa 12–21 Uhr, 6, Crow Street, Tel. 01/677 22 34, €*

EINKAUFEN

Dublins Haupteinkaufsstraßen sind die Grafton Street und die (preiswerteren) O'Connell Street und Henry Street.

Empfehlenswert bei Regen sind die überdachten Einkaufszentren mit Cafés und Restaurants *(shopping malls)* am St. Stephen's Green. Außerdem das Powerscourt Centre, dessen Boutiquen und Cafés sich über einen verglasten Innenhof erstrecken (1772 als Stadthaus für

Powerscourt Centre: Essen, Trinken und Einkaufen unter einem Dach

den Grafen Wingfield errichtet), und Westbury Shopping Mall, beide in der Nähe der Grafton Street.

Anthony Antiques [U C4]
Seit 30 Jahren Möbel, Kunst, Bilder, Kerzenhalter, Kaminbestecke. *7/9, Molesworth Street*

Claddagh Records [U B3]
Von Folk bis Van Morrison, umfassende Auswahl irischer Musik und nette Beratung. *Mo–Sa ab 12 Uhr, 2, Cecilia Street, Temple Bar*

Dublin Woollen Mills [U B3]
Für das 1888 gegründete Geschäft handelte bereits James Joyce, der als Sprachlehrer in Triest auch Stoffe dieser Weberei verkaufte. *41, Lower Ormond Quay, an der Halfpenny Bridge*

Fred Hanna [U C4]
Traditionsreiches irisches Buchgeschäft. Es hat Titel fast aller irischen Autoren auf Lager und bietet auch Antiquarisches. *27/29, Nassau Street*

Kevin & Howlin [U C4]
Bester handgewebter Tweed aus Donegal, gediegene Strickjacken, erlesene Kaschmirwollartikel. *31, Nassau Street*

Kilkenny Shop [U C4]
Mit Ausnahme von Waterford-Kristall bekommen Besucher alles das, was als typisch irisch gilt: Keramik in kräftigen, erdigen Farben, gewachste Regenjacken, Tweedschals und -sakkos, Kaschmir- und Schafwollpullover, Leinen, Spitze und Holzschnitzarbeiten. Nicht billig, aber von höchster Qualität. *5/6, Nassau Street*

Rory's Fishing Tackle [U B3] Insider Tipp
Eine Dubliner Institution: Bei Rory, einem sympathischen Geschäftsmann und Angler, gibt es alles für das Hobby, vom lebenden Köder bis zur Weidentasche. Selbst Nichtangler bekommen hier leuchtende Augen. *17A, Temple Bar, Fleet Street*

ÜBERNACHTEN

An Oige Hostel [U C1]
Die Jugendherberge, nicht weit von der Parnell Street entfernt. *364 Betten, auch DZ, 61, Mountjoy Street, Tel. 01/830 17 66, Fax 830 16 00, www.irelandyha.org, €*

Avalon House **[U B4]**
Ein viktorianisches Haus aus rotem Sandstein im Zentrum der Stadt; viele Mehrbett-, aber auch Einzel- und Doppelzimmer sowie Zimmer mit eigenem Bad und zahlreiche Gemeinschaftsräume. Internetzugang über Münzapparate. Im Übernachtungspreis ist ein *continental breakfast* enthalten, ein viel besuchtes Caférestaurant steht ebenfalls zur Verfügung. *71 Zi. mit 281 Betten, 55, Aungier Street, Tel. 01/4750001, Fax 4750303, www.avalon-house.ie,* **€**

Charleville Lodge **[U B1]**
Val und Anne Stenson führen ihr edles viktorianisches Period House mit professionellem Service. Einladend ist die großzügige Lounge mit ihren Waterford-Leuchtern. *30 Zi., 268–272, North Circular Road, Phibsborough, Tel. 01/838 66 33, Fax 838 58 54, www.charlevillelodge.ie,* **€€**

Conrad International **[U C5]**
Tatsächlich herrscht hier internationale Atmosphäre: Gäste aus Japan, den Vereinigten Staaten, Australien sowie Europa schätzen den unaufdringlichen Luxus und perfekten Service des Hauses. Beste Lage gegenüber der National Concert Hall (einige Zimmer mit Blick auf das Gebäude), und nach einem geruhsamen Spaziergang durch den St. Stephen's Green ist man im Stadtzentrum. Geschäftsleute treffen sich ab 16 Uhr im Pub und bei schönem Wetter auf der Terrasse des »Alfie Byrne's« (Sa Jazz). *191 Zi., Earlsfort Terrace, St. Stephens's Green, Tel. 01/676 55 55, Fax 676 54 24, www.conradinternational.ie,* **€€**

Kingston **[119 D–E6]**
Die ruhigen und komfortablen Zimmer im Zentrum des Fährhafens bieten eine gute Aussicht auf die Bucht, von Dublin 20 Minuten mit der DART. *30 Zi., Adelaide Street, Dun Laoghaire, Tel. 01/280 18 10, Fax 280 12 37,* **€€**

The Leeson Inn **[U C5]**
Restauriertes georgianisches Stadthaus, stilvoll ausgestattet. Mit zuverlässigem Reservierungsservice für Theater und die Weiterreise. *20 Zi., 24, Lower Leeson Street, Tel. 01/662 20 02, Fax 662 99 63, www.iol.ie/leesoninn,* **€€**

FREIZEIT & SPORT

Fahrräder
Cycleways **[U B2]**, *185 Parnell Street, Tel. 01/873 47 48, Fax 877 94 62, www.indigo.ie/~cycleway*

Dreistündige geführte Radtouren mit *Dublin Bike Tours (Tel. 01/679 08 99) April–Okt. tgl. 10 und 14 Uhr ab Christchurch, 15,60 Euro inkl. Fahrrad, www.connect.ie/dublinbiketours*

AM ABEND

Das 14-täglich erscheinende Magazin »In Dublin« informiert über das Unterhaltungsangebot der Stadt.

Tickets für Theater, Konzerte, Sport- und andere Veranstaltungen bestellt man bei *Dublin Tourism, Tel. 01/605 77 77 (desk 14), Fax 605 77 87.*

Diskos (und Nachtclubs) finden Sie in vielen Hotels und vor allem in der Lower Leeson Street, viele Pubs auch im Viertel Temple Bar. Über 700 Pubs gibt es in Dublin. Viele zeigen noch jenes unnach-

Dublins Kanäle

Mit dem Pferd über das Wasser

Im 18. Jh. wurden die natürlichen Wasserstraßen Irlands durch Kanäle miteinander verbunden: mit zwei Strecken nach Dublin, dem Royal Canal und dem Grand Canal. 146 km lang und mit 46 Schleusen versehen, zog sich der Grand Canal vom Fluss Shannon nach Dublin. Die Boote konnten bis 20 m lang und 4 m breit sein, der Tiefgang betrug jedoch nur 1 m. Die Kähne wurden von Pferden gezogen und transportierten (neben Passagieren) Kartoffeln nach Dublin und Guinness auf dem Rückweg. Mit dem Aufkommen der Eisenbahn ging der Bootsverkehr drastisch zurück. Eine audiovisuelle Einführung in die alten Wasserstraßen mit anschaulichen Modellen erhält man im *Waterways Visitor Centre, Grand Canal Quay, Dublin 2* (einem modernen Gebäude neben der Pearse-Street-Brücke, *Bus 3 ab O'Connell Street), Juni–Sept. tgl. 9.30–18.30, Okt.–Mai Mi–So 12.30–17 Uhr, Eintritt 2,50, Kinder 1,20 Euro)*

ahmliche Flair, das die irischen Pubs weltberühmt macht. An kalten Tagen wärmen ein Irish Coffee oder Whiskey pur von innen und ein Kaminfeuer von außen.

Abbey Theatre **[U C3]**
1904 von W.B. Yeats gegründetes und heutiges Nationaltheater, das regelmäßig irische Autoren (sowohl Klassiker als auch moderne) spielt. *Lower Abbey Street, Tel. 01/8787222*

The Brazen Head **[U A3]**
Der älteste Pub der Stadt stammt aus dem Jahr 1688, gelegentlich treten hier Jazzbands auf. So beliebt, dass bereits früh am Abend alle Räume überfüllt sind. Im Sommer flieht man mit seinem Bierglas aus dem Dunkel in den schönen Hof, zum Nachschenken ist es dann ein weiter Weg. *20, Lower Bridge Street*

Doyle's Irish Cabaret **[U C6]**
Für einen vergnüglichen Abend: Dinner, Musik und Kabarett in einem Raum des Burlington Hotels. *Upper Leeson Street, Tel. 01/667 04 82*

Dublin Literary Pub Crawl **[U B4]** Insider Tipp
Einen literatur-alkohol-geschwängerten Abend bietet der Dublin Literary Pub Crawl. Geführt von Schauspielern wandelt man auf den Spuren irischer Dichter und Denker und besucht ihre diversen feuchten Wirkungsstätten. Karten bei der Tourist Information. *Treffpunkt im Sommer tgl., im Winter am am Wochenende 19.30 Uhr im The Duke, Duke Street (8,50 Euro)*

Fitzsimon's **[U B3]**
Restaurant mit deftiger irischer Küche, beliebte Bar mit *traditional music.* Irischer Volkstanz mit Anleitung und zum Mitmachen, am

Wochenende auch nachmittags und Sonntagmorgen; ein Riesenspaß! *East Essex Street (Temple Bar), Tel. 01/677 93 15*

Gate Theatre **[U B2]**
1928 gegründetes Haus mit bestem künstlerischem Ruf. Es werden irische Klassiker, aber auch internationale Stücke gespielt. *Cavendish Row, Parnell Square, Tel. 01/874 40 45, Busse 10, 11, 12, 13*

The National Concert Hall **[U C5]**
Klassische und Unterhaltungsmusik. *Earlsfort Terrace, St. Stephen's Green, Tel. 01/671 18 88 (Auskunft), 671 15 33 (Tickets)*

O'Donoghue's **[U C5]**
Die Wiege der Dubliners, mit eindrucksvollen Bildern an den Wänden, immer sehr voll. *15, Merrion Row, Tel. 661 43 03*

Olympia Theatre **[U B4]**
Dublins größtes Theater, in einer restaurierten Musikhalle aus dem Jahr 1879, bietet vorwiegend Musicals und Varieté, manchmal auch Konzerte irischer Musik. *70, Dame Street, Tel. 01/677 77 44*

Projects Arts Centre **[U B3]**
Ein Angebot von Rockkonzerten bis zu Avantgardestücken. Auch moderner Tanz ist hier zu Hause. Kunstausstellungen im Foyer. *39, East Essex Street, Temple Bar, Tel. 01/679 66 16, www.project.ie*

AUSKUNFT

Dublin Tourism Centre **[U B4]**
St. Andrew's Church, Suffolk Street, Tel. 01/605 77 97, Fax 605 77 87, www.visitdublin.com, Mo–Sa 9–18 Uhr
Wer sich in Dublin verläuft und ein WAP-Handy dabei hat, findet bei *www.streetwise.ie* wieder den richtigen Weg.

ZIELE IN DER UMGEBUNG

Drogheda **[121 E4]**
50 km nördlich von Dublin liegt am Ufer der Boyne die 2000 Jahre alte Ortschaft (23 000 Ew.), die schon im 10. Jh. Handelszentrum der Wikinger war. 1649 wurde sie als erste Stadt Irlands von Oliver Cromwells Truppen eingenommen, die Bewohner grausam niedergemetzelt. In der *St. Peter's Church (West Street)* steht ein Schrein für den irischen Freiheitshelden Oliver Plunkett, der 1681 in London getötet wurde und nach dem in jeder irischen Stadt ei-

Schmuckvoll: der »Georgian Style«

ne Straße benannt wird. Das *Augustinerkloster* in der Abbey Lane besteht nur noch aus einem Turm aus dem 13. Jh.; Zugverbindung von Dublin aus *(Connolly Station).*

Dun Laoghaire [121 D–E6]
Mit der DART-Schnellbahn und den Bussen 7 und 8 erreicht man die 11 km südlich gelegene Hafenstadt (60 000 Ew.), »Dan Liri« ausgesprochen. Von hier aus hat man eine wundervolle Sicht auf die Bucht von Dublin, insbesondere beim Spaziergang auf den östlichen Hafenmauern. Das *National Maritime Museum (High Terrace)* zeigt die Seefahrtsgeschichte des Landes. Ein *Dominikanerkloster* (in der *Lower George's Street*) enthält keltische Symbole im Oratorium.

Glendalough [127 D2]
Nur etwa 50 km südlich von Dublin erstreckt sich ein einzigartiges Wander- und Naturparadies: Zahlreiche mehrtägige Routen, zwischen 60 und 100 km, führen durch die Bergwelt der *Wicklow Mountains.* Zu den Höhepunkten dieses Gebiets gehört das Tal von Glendalough, eine historische Stätte. Zwei grün schimmernde Seen liegen romantisch in dem engen Tal, eingerahmt von hohen Bergen. Das im 7. Jh. von dem heiligen Kevin gegründete Kloster avancierte schon bald zum geistigen Zentrum Irlands. Der 33 m hohe *Rundturm,* Zufluchtsstätte der Mönche bei Wikingerüberfällen, prägte die erstarkte Klosterstadt ab dem 9. Jh. *Führungen ab Besucherzentrum, 9.30–18 Uhr, Eintritt 4 Euro;* Naturliebhaber starten am Upper Lake zum Falcon Trail, einem 4 km langen Wanderweg.

Kildare [120 B–C6]
Der Ort (3500 Ew.) mit Häusern aus dem 18. Jh. liegt 50 km südwestlich von Dublin (an der N 7) im Herzen des irischen Pferdegebietes. Die *Kathedrale* (1875) steht auf den Resten eines Klosters, das 470 von der heiligen Brigid gegründet worden sein soll. Das heutige Gebäude enthält jedoch lediglich Teile aus dem 13. Jh. Ein *Rundturm* aus dem 12. Jh. ist neben der Kirche erhalten. Mittelalterliche Grabsteine im Kircheninneren. 2 km östlich der Stadt kann man das nationale *Pferdezuchtzentrum* in *Tully* besuchen.

Monasterboice [121 D–E 3–4]
★ Der Ort, 56 km nördlich von Dublin, birgt die Überreste eines wahrscheinlich im 5. Jh. gegründeten Klosters mit den kunstvollsten *Hochkreuzen* Irlands, u.a. das wunderschön verzierte Muiredach´s Cross. Die in Stein gemeißelten Darstellungen geben biblische Geschichten wieder. In der Anlage gibt es zudem einen Rundturm, zwei sehenswerte Kirchen aus dem 13. Jh., zwei Grabplatten und eine alte (noch funktionierende) Sonnenuhr.

Newgrange [121 D4]
★ Fast 5000 Jahre alte *Grabkammern* von beeindruckender Größe, 58 km nordwestlich von Dublin; der megalithische Grabhügel ist etwa 75 m lang und 13 m hoch. Die Innenwände zeigen geometrische Figuren. Das Innere kann nur durch einen ca. 18 m langen, engen Gang betreten werden. Über dem Eingang liegt eine Öffnung, durch die die Sonne am 21. Dez., zur Wintersonnwende, für eine Viertelstunde die Grabkammer

erreicht und in Licht taucht. Dann, so sagt man, wirkten die Steine wie Gold. *Sommer 9–19, Winter 10 bis 17 Uhr, Führungen (obligatorisch-halbstündlich, Eintritt 5,20 Euro*

Powerscourt Gardens [127 D1]

★ In Enniskerry gruppieren sich die kleinen Fachwerkhäuser (kleine Cafés) um den neugotischen Kirchturm. Ein geruhsamer Spaziergang führt zum 2,5 km südlich gelegenen Powerscourt Estate, vorbei am Golfplatz und an Pferdekoppeln. Das imposante Herrenhaus, in dem die Großeltern von Sarah Ferguson (dem *enfant terrible* des britischen Königshauses) lebten, brannte nach erfolgreicher Renovierung bis auf die Grundmauern nieder. Wiederaufbau und Restaurierung der oberen Stockwerke sind noch nicht abgeschlossen. Im Erdgeschoss befindet sich eine Verkaufsausstellung mit Gartenutensilien, Kunsthandwerk und Souvenirs sowie ein von den Dublinern viel gelobtes Restaurantcafé (köstliche *apple tarts* und *rhubarb crumbles*). Besichtigen Sie den Schlosspark und dessen italienische Gärten, vielleicht auch den Powerscourt Waterfall, genießen Sie anschließend die grandiose Naturkulisse von der mit Teakholzmöbeln herrschaftlich hergerichteten Caféterrasse. *Tgl. 9.30–17.30 Uhr, Eintritt 4,50 Euro, Wasserfall 2,60 Euro, Enniskerry, 18 km südlich von Dublin, Bus 44 ab Hawkins Street, Dublin 2, oder Bus 85 von Bray*

Tara [121 D4]

10 km südwestlich von Newgrange ist Tara der wohl geschichtlich bedeutsamste Ort Irlands. Die *Paläste der keltischen Hochkönige* sind jedoch lediglich als Gebäudefragmente im Erdboden und als Erdhügel zu erkennen. Nur mit dem an der archäologischen Stätte aufgestellten Plan lässt sich ausmachen, welche Formen und Ausmaße der Ort einmal hatte.

Ein Traum von einem Garten umsäumt Powerscourt House

Felsige Küsten und kleine Buchten

Die Fischerdörfer bestehen aus einer Mole mit Booten, bunten Häusern und einem Pub

West Cork und Kerry sind bei Ausländern beliebte Regionen. Nicht nur als Touristen bevölkern sie im Sommer den Süden Irlands, viele haben sich hier inzwischen niedergelassen. Das Hinterland besteht vornehmlich aus hügeliger Seenlandschaft. Vor der felsigen Küste schauen unzählige kleine Inseln aus dem Wasser, in fast jeder Bucht liegt ein altes Fischerdorf versteckt. Zwischen den Buchten sieht man gelegentlich Sandstrände.

Gen Norden erstrecken sich die sanften und fruchtbaren Hügel der Grafschaft Limerick, in der überwiegend Landwirtschaft betrieben wird, mit Städtchen aus der Normannenzeit und malerischen Flusstälern, an deren Rand sich häufig hübsche Dörfer schmiegen.

Buntes Ensemble: Dingle

CORK

Karte in der hinteren Umschlagklappe

[124 A–B5] Die mit 140 000 Einwohnern zweitgrößte Stadt des Landes beeindruckt zunächst mit ihren Brücken – 25 an der Zahl. Viele Treppen sowie steile, kurvige Straßen bestimmen das Stadtbild. Cork wird südliches Flair nachgesagt; das mag übertrieben sein, jedoch lebt die Stadt in einer leichten und beschwingten Atmosphäre.

Die Steilküste der Halbinsel Dingle bietet herrliche Ausblicke

Der Name Cork leitet sich ab vom gälischen Corcaigh, und das heißt Marsch oder sumpfiges Gelände. Die City ist gebaut auf einer Insel inmitten des Flusses Lee, der sich in zwei Arme teilt. Viele der heutigen Straßen waren früher Wasserwege, und auch auf der Haupteinkaufsstraße, der St. Patrick's Street, gab es noch 1750 Anlegestellen für Lastschiffe. Seit dem Mittelalter ist der Ort bekannt, denn hier gründete St. Finbarr um 650 seine Klosterschule. Jedoch stand das einzige aus dieser Zeit erhaltene Gebäude, die Red Abbey, außerhalb der Stadt. Bei der Belagerung Corks durch die Engländer wurde die Stadtmauer 1690 gänzlich zerstört; einige Fundamente sind in einem Park und im Grand Parade Hotel noch zu sehen.

Mit der Errichtung des Buttermarktes, heute auf dem Shandon-Hügel gelegen, erreichte der Handel mit Spanien, Holland, Deutschland, Nordamerika und den westindischen Staaten im 19. Jh. seinen kometenhaften Aufschwung: Die Stadt wurde reich, und diesen Reichtum illustrieren heute eine Reihe imposanter Gebäude, darunter stolze georgianische und viktorianische Bürgerhäuser.

SEHENSWERTES

Der erste Weg sollte zum Tourist Office in der Grand Parade führen. Neben einem Stadtplan gibt es hier den *Cork Tourist Trail,* ein Heftchen mit der Beschreibung eines etwa zweistündigen Spaziergangs zu den bedeutsamen Sehenswürdigkeiten der Stadt. Wer Führungen bevorzugt, fragt nach den *guided walks.*

Ballincollig Gunpowder Mills

Ein Nachmittag am Fluss: In einem Park, umgeben von Spazierwegen, liegt am River Lee die historische Schießpulverfabrik mit Ausstellungen, Vorführungen und einem Film. Danach lockt das Café mit Apfelpastete. *April–Sept. tgl. 10 bis 18 Uhr, Eintritt 4 Euro, Heritage Centre, Ballincollig, 8 km westlich an der N 22*

City Hall

Das Rathaus am Lee entstand erst 1936, und zwar aus Kalkstein, passt sich jedoch hervorragend in die historische Stadtarchitektur der Umgebung ein. *Albert Quay/ Anglesea Street*

Court House

Das Justizgebäude mit der mächtigen Eingangsfassade aus korin-

Stadtansicht von Cork mit den Türmen der St. Finbarr's Cathedral

MARCO POLO Highlights »Der Süden«

★ **St. Finnbarr's Cathedral**
Ort der bedeutendsten Klosterschule (Seite 46)

★ **Cork City Market**
Einkaufen: Englischer geht's nicht (Seite 47)

★ **Bantry House**
Italienische Gärten, Meerblick und prachtvolle Möbel (Seite 50)

★ **Blarney Castle**
Beredt für immer: Kissing the Blarney Stone (Seite 50)

★ **Youghal**
Ein Spaziergang entlang der mittelalterlichen Stadtmauer (Seite 53)

★ **Muckross House**
Kleinod im Nationalpark (Seite 54)

★ **Ring of Kerry**
Natur und Küste im vielleicht schönsten Teil Irlands (Seite 56)

★ **Kinsale**
Fachwerk, Forts und frische Fische (Seite 57)

thischen Säulen wurde 1835 errichtet. Die Rückseite ist im Tudorstil gehalten. *Washington Street*

Fitzgerald's Park

Zwischen der Western Road und dem Lee (Zugang ab Mardyke) liegt der große Park mit verschiedenen Unterhaltungsangeboten, wirklich sehenswerten Skulpturen, vielen Wasservögeln, dem städtischen Museum und einem preiswerten Café, das sich bei Sonnenschein in den Park ausdehnt.

Grand Parade

Die breite Straße, heute das Zentrum der Stadt, war früher ein Kanal. Sie wird vom südlichen Arm des River Lee, vom City Market und vom Bishop-Lucey-Park begrenzt. Im Park sind Reste der alten Stadtmauer zu erblicken. Das Eingangstor, das früher am Cornmarket stand, stammt aus dem Jahr 1850. Die Grand Parade wird überragt vom *National Monument,* errichtet für die irischen Patrioten der Jahre 1798–1867. Von dort erblickt man drei Häuser aus dem 18. Jh. mit gewölbter Fassade. Näher zum Fluss hin steht das Denkmal für die Gefallenen des Ersten Weltkrieges. Der Brunnen *Berwick Fountain* (1860) befindet sich an der Stelle einer früheren hölzernen Brücke.

Red Abbey

Von der Grand Parade über die Parliament Bridge (1804) – ein Blick nach rechts fällt auf die Holy Trinity Church (1834) – kommt man in die Mary Street, von der nach links die Red Abbey Street abbiegt. Dort stößt man auf einen quadratischen Turm, Teil eines ehemaligen mittelalterlichen Augustinerklosters. Er ist das älteste Gebäude der Stadt.

Shandon Steeple

Das von weitem sichtbare Gotteshaus (St. Anne's) auf einem Hügel nördlich des Lee, mit einer 3m langen Wetterfahne in Form eines Lachses, wurde 1722 erbaut und beherbergt ein berühmtes Glockenspiel, das von Besuchern gegen Gebühr in Gang gebracht werden darf. Bei der Kirche steht das ehemalige *Butter Exchange* (heute *Butter Market),* 1770 eröffnet, das im 19. Jh. mit seinem Butterexport zum Reichtum der Stadt beitrug. *Tgl. 9–18 Uhr, Eintritt 1,30 Euro (2 Euro mit Turm), Shandon Street*

St.Finbarr's Cathedral

★ An der Stelle der Kirche soll der heilige Finbarr um 650 seine Klosterschule gegründet haben. Die von dem Londoner Architekten William Burgess in gotischem Stil entworfene Kirche mit ihrem 40 m hohen Turm wurde 1870 geweiht. Achten Sie auf die Marmorarbeiten im Inneren und auf das Rosettenfenster in der Westfront. *Mo–Sa 10 bis 16 Uhr, zwischen Dean Street und Bishop Street*

St.Patrick's Bridge

Am nördlichen Ende der Hauptgeschäftsstraße St.Patrick's Street führt die beschauliche St.-Patrick's-Brücke über den Lee. Das 1861 aus Kalkstein konstruierte Kunstwerk zeigt eine perfekt gearbeitete Balustrade sowie drei herrlich geschwungene Bögen. *Bridge Street*

Insider Tipp **Triskel Arts Centre**

Hinter der Christ Church liegt die Vielzweckeinrichtung für Ausstellungen, Musik, Theater und Lesungen. Ein Café ist angeschlossen. *Mo–Sa 10–17 Uhr, Tobin Street (South Main Street), Tel. 021/ 427 20 22*

University College Cork

Die in einem Park am Fluss gelegene Universität aus dem Jahr 1849 umfasst eine Reihe von Gebäuden im gotischen Tudorstil, insbesondere das zentrale Quadrangle. Die *Honan Chapel* (an der Donovan's Road) beeindruckt auch mit ihrer Bleiverglasung. *Haupteingang Western Road/Donovan's Road*

MUSEEN

Cork City Goal

Von außen eher ein Palast (der Architekt schuf auch die Universität), jedoch ab 1824 für hundert Jahre das Gefängnis der Briten, in dem nicht nur Straffällige einsaßen; heute ist in dem Gebäude ein eindrucksvolles Gefängnismuseum untergebracht. Besucher wandeln durch die alten Gefängniszellen, ab und zu werden Geräusche über Lautsprecher eingeblendet. Hinterher gibt es das »Prisoner Menu« im Café. *Sommer tgl. 9.30–17, Winter 10–16 Uhr, Eintritt 4,50 Euro, Sunday's Well Road, Convent Ave.*

Cork Public Museum

In einem prächtigen georgianischen Haus wird die Geschichte der Stadt von den frühchristlichen Anfängen bis zum Aufstand gegen die Engländer zu Beginn des 20. Jhs. dargelegt. Besondere Aufmerksamkeit verdienen die Dokumente zur Erhebung gegen die Besatzer. Auch Ausstellung zur Freiheitsbewegung ab 1916. *Mo–Fr 11–13 und 14–17, So 15–17 Uhr, Eintritt frei, Mardyke (Fitzgerald's Park)*

Irischer Wein

Viel belächelt, aber gar nicht mal so schlecht

Ein Weinberg in Cork? Gäste des Hotels Longueville House bei Mallow im Blackwater Valley, spaßeshalber auch Irisches Rheinland genannt, können sich glücklich schätzen, den hauseigenen Wein »Coisteal Longueville« zu genießen. Und das nur deswegen, weil der Besitzer des Hauses 1972 seinen ersten Weinberg, übrigens den einzigen registrierten in Irland, anlegte und 1000 Müller-Thurgau-Reben, einen in Deutschland populären Wein, pflanzte.

Crawford Art Gallery
Klassische Klaviermusik ertönt, das Parkett glänzt, und an den Wänden sind Kunstwerke zu sehen. Am Morgen hat man diese Kunstgalerie für sich allein. Das Gebäude aus Kalkstein und roten Ziegeln wurde 1724 als Zollhaus errichtet und beherbergt heute Werke alter Meister und moderne irische Kunst sowie Nachbildungen antiker Statuen. Mit gutem, preiswertem Restaurant/Café. *Mo bis Sa 10.30 bis 17 Uhr, Eintritt frei, Emmet Place*

ESSEN & TRINKEN

Insider Tipp

Café Paradiso
Ein Bistro mit rein vegetarischer Kost, gegenwärtig der absolute Renner in Cork und Treffpunkt für Jung und Alt. Chef Dennis Cotter ist jung und gilt als kreatives Genie beim Umgang mit Grünkern und Mangold. *Di–Sa 10.30–22.30 Uhr, 16, Lancaster Quay, Western Rd., Tel. 021/4277939, €*

Eastern Tandoori
Mehrfach ausgezeichnete indische Küche in höchst dezenter, vornehmer Atmosphäre. *Mittags und abends, 1/2, Emmet Place, Tel. 021/4272020, €€*

The Farmgate Café
Treff für Studenten und Hausfrauen im English Food Market. Spezialität: Fisch und Geflügel, irischer Käse. *Mo–Sa 8.30–17.30 Uhr, Princess Street, Tel. 021/4278134, €€*

Jacques
Beliebtes kleines Restaurant im Zentrum, Tischreservierung ist ratsam. Französische Küche, dazu auch Vegetarisches, hervorragende Vorspeisen und traditionelle Desserts. *Tgl. außer So 12–15, 18 bis 22 Uhr, 9, Phoenix Street (nahe Hauptpost), Tel. 021/4277387, €€€*

EINKAUFEN

Coal Quay Market
Secondhandwaren vom Hut bis zum Schuh, Frisches und Neues vom Kohl bis zur CD, und das alles in alten Hallen, an Straßenständen, in winzigen Geschäften sowie von

fahrenden Händlern. *Mo–Sa 9–18 Uhr, Cornmarket Street*

Cork City Market

★ Besonders anziehend ist der Markt in der Innenstadt, wegen seiner Architektur von 1786 mit Bögen, Brunnen und Galerien auch English Market genannt. Neben dem reichhaltigen Obst-, Gemüse- und Fleischwarenangebot sind es insbesondere die Meeresfrüchte, die den Besucher verzücken. Lachs, Langusten, Hummer sowie alle Sorten »ordinärer« Fische und ein vielfältiges Muschelangebot sind täglich frisch zu finden. *Mo–Fr 8.30–18, Sa bis 13 Uhr, viktorianische Hallen im Zentrum zwischen Grand Parade und St. Patrick's Street (Princess Street)*

Merchant's Quay

Zahlreiche Boutiquen, Kaufhäuser, Café, Musikgeschäfte und vieles andere in einem kunstvoll restaurierten Lagerhaus am Fluss. Das im ersten Stock liegende Selbstbedienungsrestaurant und Café ist Treffpunkt der Einheimischen. Die Kaufhäuser Dunnes und Roches Store liegen gleich nebenan. *St. Patrick's Bridge*

Shandon Craft Centre

Der historische *Butter Market* (1769), der im 19. Jh. sogar nach Australien und Amerika verschiffte, wurde in ein sehenswertes Kunsthandwerkszentrum verwandelt. Hergestellt werden Töpferarbeiten, Designmode, dekorierte Fliesen, Porzellan, Kristallwaren, Musikinstrumente und Schmuck; Besucher dürfen zuschauen. Mit hübschem Gartencafé. *Exchange Street, nahe Shandon Steeple*

ÜBERNACHTEN

An Oige Hostel

Großes Haus in der Nähe von Universität und Fitzgerald's Park, zum Zentrum gehen Sie etwa 2 km.

Erinnert an französische Markthallen: der geschlossene Cork City Market

80 Betten, 1–2 Redclyffe, Western Road, Tel. 021/4543289, Fax 4343715, €

Garnish House
Schönes B & B-Haus gegenüber der Universität und nahe Fitzgerald's Park, angenehme Atmosphäre, zuverlässiger Service. 10 Minuten zum Zentrum. *14 Zi., Western Road/Donovan's Road, Tel. 021/275111, Fax 273872, www.garnish.ie, €€*

Isaacs Hotel
Großzügig restaurierte viktorianische Backsteingebäude beherbergen ein Budgethotel. Zur Innenstadt, zum Bahnhof sowie zu Pubs und Cafés sind es nur wenige Minuten zu Fuß. Im *common room* gibt's Tee bei netten Gesprächen. *11 Apartments, 48, Mac Curtain Street, Tel. 021/4508388, Fax 4506355, www.isaacs.ie, €*

Killarney Guest House
Charmantes Haus von 1847, Parkplatz, alle Zimmer mit Bad, sehr komfortabel, freundlich und preiswert. *19 Zi., Western Road (gegenüber der Universität), Tel. 021/427 02 90, Fax 427 1010, www.killarneyguesthouse.com, €*

Kinlay House
Gästehaus, auch Mehrbettzimmer. *104 Betten, Bob and Joan Walk, Shandon, Tel. 021/4508966, Fax 4506927, www.kinlayhouse.ie, €*

Metropole
Am nördlichen Flussufer liegt das 100 Jahre alte Hotel mit leicht maroder Eleganz. In den beiden Pubs wird abends gesungen, das Frühstück gibt es mit *river view.* Großes Freizeitzentrum, mehrere gute Restaurants in der Nähe. *98 Zi., McCurtain Street, Tel. 021/450 81 22, Fax 450 64 50, €€*

Quality Shandon Cork Hotel
Neues Luxushaus, zentral gelegen (5 Min. zur St. Patrick's Street) und doch ruhig, mit Parkplatz. *54 Zi., John Redmond Street (ab North Mall), Shandon, Tel. 021/455 17 93, Fax 455 16 65, €€€*

Sheila's Hostel
Junge Leute aus aller Welt wohnen hier komfortable. *33 Zi., 4, Belgrave Place, Wellington Road, Tel. 021/4505562, Fax 4500940, www.sheilashostel.ie, €*

FESTIVALS

Cork International Choral and Folk Dance Festival
Musik, Gesang und Tanz in der City Hall, *April/Mai*

Cork International Film Festival
Weit über Irlands Grenzen hinaus bekanntes und beliebtes Filmfest, *Oktober*

AM ABEND

An Bodhran
Täglich Livemusik, nicht nur Folk. *42, Oliver Plunkett Street*

An Spailpin Fanac
Lebhafte, doch gemütliche Kneipe mit (fast täglich) traditioneller Musik, immer voller Studenten. *28/29, South Main Street*

Cork Opera House
Geboten werden Varietés, Revuen, Theater, Oper, klassische und

traditionelle Musik. *Emmet Place, Tel. 021/4270022, 4276357*

Dan Lowrey's
Vornehmer und stilvoller irischer Pub mit englischer Eleganz; schönes Glasdekor, fein und erlesen möbliert. *Tel. 021/450 50 71, 13, MacCurtain Street*

Everyman Palace Theatre
Ein festes Ensemble spielt hauptsächlich moderne und klassische irische Stücke. *15, MacCurtain Street, Tel. 021/4501673*

Phoenix
Einfache, rustikale Kneipe mit viel Holz, Naturstein und Kamin. Spontane Musikertreffen, vorwiegend junges Publikum und natürlich jede Menge Corker Studenten. *Union Quay (nahe City Hall)*

AUSKUNFT

Tourist Office
Tgl. 9–18 Uhr, 42, Grand Parade, Tel. 021/4273251, Fax 4273504, www.ireland.travel.ie

ZIELE IN DER UMGEBUNG

Baltimore **[122 C6]**
Ein Ausflug von Cork in südwestlicher Richtung (100 km) führt durch malerische Flusstäler, sanftes Hügelland und an der romantischen Südwestküste der Insel entlang. Von Cork aus über *Clonakilty* (Übernachtung in *O'Donovan's Hotel, 26 Zi., Tel./Fax 023/33 250, Pearse St., www.odonovanshotel.com, €€*) und Skibbereen erreicht man Baltimore (800 Ew.), Ausgangspunkt für Besuche der Inseln *Sherkin* und *Clear*. Wer die Personenfähre *(nach Sherkin stündlich, Überfahrt 15 Min., 2,60 Euro, nach Cape Clear zwei- bis dreimal täglich, 45 Min., 6,50 Euro)* verpasst, kann in Baltimore im *Baltimore Harbour Hotel* am Ortsende mit Blick über die Bucht *(30 Zi., Tel. 028/20361, Fax 20466, www.bhrhotel.ie, €€)* übernachten. Private Jugendherberge mit 46 Betten: *Rolf's Hostel* am Ortsrand, *Baltimore Hill, Tel./Fax 028/20289*, auch Doppelzimmer und Restaurant. Schmackhafte Fischspezialitäten, dazu Musik und Meerblick bei *Casey's Cabin, Church Strand, Tel. 028/201 97, €€*

Bantry **[122 C5]**
★ In Bantry (112 km westlich, 2800 Ew.) lohnt das *Bantry House* einen Abstecher, ein im Jahr 1739 von den Vorfahren der jetzigen Besitzer erworbenes Schlösschen. Im Laufe der Zeit wurde es mit Wandteppichen, Lampen, Bildern und Möbeln ausgestattet. Italienische Gärten mit Brunnen und Statuen sowie Terrassen umgeben das schöne Anwesen. Café und Kunsthandwerksladen vorhanden, Übernachtung möglich. *Besichtigung tgl. 9–18 Uhr, Eintritt 4 Euro, Hotel 8 Zi., Tel. 027/500 47, Fax 507 95, €€€*

Blarney Castle **[124 A5]**
★ 9 km nordwestlich von Cork thront in einem Park die *McCarthy-Burg* aus dem Jahr 1446, so weit restauriert, dass man den berühmten Stein in 29 m Höhe erreichen und nach abenteuerlichen Verrenkungen auch küssen kann. Das tut fast jeder, denn es soll Beredsamkeit verleihen. Von der Burg führen Spazierwege in den

Mediterrane Atmosphäre herrscht in und um den Herrensitz Bantry House

Park, auch zum Blumengarten *Rock Close* mit seinen Steinformationen, die eine mythische Bedeutung besitzen sollen. Im Sommer ist auch das Herrenhaus zu besichtigen. *Park und Castle tgl. 9 bis 17.30 Uhr, Eintritt 4 Euro*

In der hübschen Ortschaft *Blarney* findet man die *Woollen Mills* in einer restaurierten Fabrik. Übernachtung und Restaurant im *Blarney Park Hotel* mit großem Schwimmbad und Fitnessbereich, *76 Zi., Blarney, Tel. 021/38 52 81, Fax 38 15 06, €€€.*

Cape Clear (Oilean Chleire) [122 C6]

Einsames Irland: Weniger als 200 Einwohner hat die kleine Insel, 100 km südwestlich von Cork (von Baltimore mit der Fähre zu erreichen). *St. Kieran's Stone* steht am Brunnen und Schrein für den (gleichnamigen) Inselbekehrer und -heiligen. Ein steiler Weg führt von der Anlegestelle zur *St. Kieran's Church* (12. Jh.). Weitere prähistorische Monolithen in *St. Comillane* an der Ostseite der Insel. Die Ruinen des *O'Driscoll's Castle* liegen an der Westküste.

Castletownshend [122 C6] Insider Tipp

Architektonisches Juwel an der Castle-Haven-Bucht; der im 17. Jh. errichtete Herrensitz Bow Hall, 95 km südwestlich von Cork, wurde von US-Amerikanern in ein Guesthouse umgewandelt. Dorfgeschichte verrät die *St.-Barrahane-Kirche* in romantischer Lage mit altem Kirchhof: Somerville, Coghill, Chavasse und Townshend – einflussreiche Familien, seit Jahrhunderten in der Gegend heimisch. Die alte *Burg* in einem verwilderten Park am Meer bewohnen noch heute die Nachkommen der Gründer. Die rührige Mrs. Cochrane-Townshend vermietet Zimmer in ihren Bruchsteincottages neben der Burg sowie in deren Ost- und Westteil. Was die Kneipen betrifft: Das an der

Druiden

Durch Asterix weltberühmt, dennoch sehr geheimnisvoll

Druiden, das waren keltische Priester, die die Zukunft vorhersagten, Kranke heilten, Sterne deuteten und zu Gericht saßen. Beim einfachen Volk standen sie in hohen Ehren. Das Wort Druiden stammt aus dem Gälischen und bedeutet »Eichenkundige«. Durch die Comicserie »Asterix und Obelix« ist den Druiden in der Person des Miraculix ein Denkmal gesetzt worden. Im Irland der Gegenwart halten nur wenige die Erinnerung an die keltischen Riten der Druiden wach. Sie lesen vorchristliche Messen im Verborgenen und halten in der Dämmerung geheime Versammlungen ab.

steilen Hauptstraße links gelegene *Mary Anne's* wurde schon in der »New York Times« gelobt. Bei Sonne sitzt man im Hof, die Fische und Meeresfrüchte schmecken phantastisch. *Castletownshend Guesthouse, The Castle, 7 Zi., Tel. 028/ 361 00, Fax 361 66, castle_townshend@hotmail.com, €*

Cobh **[124 B5]**
Ein hübsches Hafenstädtchen, auf einer Insel im großen Cork Harbour ungefähr 23 km südöstlich gelegen. Viele Häuser stammen aus der Schifffahrtsblütezeit des 19. Jhs. Die gotische *St.-Colman's-Kathedrale* überragt die bunten Häuser steil von ihrem Plateau; ihr berühmtes Glockenspiel (47 Glocken) lockt viele Bewunderer an. Ein Spaziergang am Hafen oder eine Hafenrundfahrt erschließt die Schönheit dieses über Jahrhunderte von der Schifffahrt geprägten Ortes.

Fota Estate **[122 B5]**
Ostwärts auf der Straße nach Midleton biegt man rechts ab auf eine Insel (insgesamt 16 km), auf der man einen *Tierpark*, ein imposantes *Herrenhaus* sowie ein *Arboretum* findet. Das vorzüglich restaurierte *Fota House* kann leider nur noch von außen besichtigt werden. Hinter dem Haus stehen in einem kunstvoll angelegten Park gewaltige Bäume sowie seltene Pflanzen, darunter auch tropische Raritäten. *April–Okt. tgl. 10–18 Uhr, im Winter nur Sa/So, Eintritt frei*

Insider Tipp

Schull **[122 C6]**
Lebhafter Marktflecken 110 km westlich von Cork, beliebtes Feriendorf mit diversen B & B-Häusern und neuen Ferienwohnungen, Anlegestelle der Cape-Clear-Fähre mit geschütztem Hafen. Direkt am Pier: Fisch, frisch vom Kutter und geräuchert, auch als *take away.* An der Hauptstraße von Schull (gesprochen Skull) reihen sich Geschäfte und Cafés aneinander. Beste Einkehr ist das *Courtyard.* Die sich um einen Hof gruppierenden Gebäude der alten Getreidemühle beherbergen neben Kunsthandwerksläden

und einem Pub (mit Jazz- und Folkmusik) auch ein Delikatessengeschäft (irischer Rohmilchkäse) und ein Caférestaurant (beste Vollwertküche). Dort kostenlos erhältlich: der *Visitor's Guide Schull* mit Wissenswertem über die Gegend. Ferienhausvermietung durch *Home from Home Holidays, 15 Rossa Street, Clonakilty, Tel. 023/331 10, Fax 331 31, www.homefrom home.ie, €€*

Sherkin **[122 C6]**
Die Insel lädt ein zu geruhsamen Wanderungen mit Meeresblick. Prähistorische Steine finden sich in *Slievemore* auf der Westseite, ebenfalls frühchristliche Höhlen. Baden können Sie am *Silver Strand.* Sehenswert: Ruinen eines Franziskanerklosters (1460). Einsamkeit herrscht am Nordufer bei den Ruinen von O'Driscoll's Castle. 100 km südwestlich von Cork. *Tgl. Fährdienst von Baltimore*

Youghal **[124 C5]**
★ An der Mündung des Blackwater River, 50 km östlich von Cork, liegt Youghal (6000 Ew.). Man durchquert den Bogen eines vierstöckigen *Uhrturms* aus dem Jahr 1777, der die Hauptstraße überspannt. Dort die steilen Treppen zur Stadtmauer hinaufklettern, deren Fundamente aus dem 13. Jh. stammen. Schöner Blick über die Stadt mit vielen Häusern aus dem 18. und 19. Jh. Der Weg an der Stadtmauer entlang berührt mehrere Wehrtürme und trifft dann auf die *St. Mary's Church.* Das aus dem 13. Jh. stammende Gotteshaus aus Naturstein ist gut erhalten. Das Innere der Kirche ist eine Fundgrube für Kenner der irischen Geschichte. Unterhalb der Kirche liegt das (private) *Myrtle Grove,* eines der Wohnhäuser von Sir Walter Raleigh (der angeblich die Kartoffel nach Irland brachte). Wer mehr Zeit zur Verfügung hat, sollte am Hafen (Market Square) das *Court House,* das lange *Market House* sowie das *Water Gate* besuchen.

KILLARNEY

[122 C3] Das Schönste an Killarney ist zweifellos die Natur rundherum. In einem Tal liegend, wird es von drei Seen, dem Lough Leane, dem Muckross Lake und dem Lough Guitane, eingerahmt. Zahlreiche Flüsse speisen die Gewässer, die die nahezu immergrüne Vegetation sanft widerspiegeln. Im Hintergrund beeindrucken eine Menge Berggipfel, unter anderem die *Macgillycuddy's Reeks,* mit 1040 m der höchste Berg Irlands. Die traumhaft schöne Landschaft, ein großartiger Nationalpark sowie das elegante *Muckross House,* ein stilvolles Herrenhaus, haben Killarney (9000 Ew.) zu dem gemacht, was es heute ist: ein durch und durch kommerzialisiertes Touristenstädtchen, in das alljährlich während der kurzen Sommersaison die Urlauber strömen. Bereits vor dem Ortseingang beginnen dann die Verkehrsstaus, und man dringt nur langsam vorwärts. Eine Wohltat: Killarneys Innenstadt wird abends autofrei, von 19 bis 8 Uhr lässt es sich ungestört bummeln.Von den allgegenwärtigen *jaunting cars,* originellen Pferdekutschen, schallen Angebote für eine *sightseeing tour* herunter, die Sie zum Muckross House bringt.

SEHENSWERTES

Muckross House

★ Das 1843 von dem schottischen Architekten William Burn für die Familie Herbert erbaute Herrenhaus, idyllisch am Muckross Lake gelegen und im elisabethanischen Stil erbaut, ist seit 1964 der Öffentlichkeit zugänglich. Neben Räumen, die als Volkskundemuseum und Handwerksbetriebe (Weberei, Töpferei, Schmiede) dienen, ist der Rest des Schlösschens im Stil um 1900 eingerichtet. Das Haus liegt in

einem großen *Nationalpark* (mehrere Eingänge), in dem sich herrliche Spaziergänge anbieten, etwa zur Ruine der *Muckross Abbey*, eines Klosters aus dem 15. Jh., den *Torc-Wasserfällen* und der *Old-Weir-Brücke* (ausgeschildert). *Tgl. 9–18 Uhr, Eintritt 5,20 Euro, 5 km südlich an der N71*

MUSEUM

Museum of Irish Transport

Eine beeindruckende Kollektion an Oldtimern, darunter ein 1898er Benz, das erste Auto auf Irlands Straßen. Außerdem ein Wolseley Siddeley (1910), den schon W. B. Yeats gerne fuhr. *Sommer tgl. 10–18, Winter 11–16 Uhr, Eintritt 4 Euro, Scott's Gardens, East Avenue*

ESSEN & TRINKEN

Foley's

»Restaurant & Town House« aus dem Jahr 1795 mit altirischer Küche und Atmosphäre; auch einige Zimmer. *Tgl. 12–14.30 und 18.30–21 Uhr, 23, High Street, Tel. 064/312 17,* €€

Scéal Eile

Bietet preiswerte Gerichte mit Selbstbedienung. Im ersten Stock ein gutes Restaurant. *Tgl. 8.30–22 Uhr, 73, High Street, Tel. 064/350 66,* €–€€

EINKAUFEN

In Killarney, das bei Touristen sehr beliebt ist, haben sich viele Kunsthandwerkläden etabliert.

Killarney Bookshop

Reiseliteratur, irische Schriftsteller, Antiquariat, irische Märchen und Mythen: Hier wird man fündig. *32, Main Street*

ÜBERNACHTEN

Arbutus

Große und komfortable Zimmer, etwas altmodisch, dazu ein Torffeuer in der Lounge und Livemusik in der mit Eichenholz getäfelten Bar. *38 Zi., College Street, Tel. 064/310 37, Fax 340 33, www.arbutuskillarney.com,* €€

Neptune's Hostel

Budget accomodation in einem geschmackvollen Haus unweit der High Street, alle Serviceeinrichtungen, auch Doppelzimmer mit Bad. *100 Betten, New Street, Tel. 064/352 55, Fax 363 99, www.neptunes-hostel.com,* €

Royal Hotel

Zentral gelegenes, familiär geführtes Haus mit 49 geschmackvoll eingerichteten Zimmern, dazu offene Kamine in den behaglichen Aufenthaltsräumen. *College Street, Tel. 064/318 53, Fax 340 01, www.killarneyroyal.ie,* €€€

FREIZEIT & SPORT

Kerry Walk
Von Killarney aus kann man auch dem ausgeschilderten Wanderweg Kerry Walk folgen, der sich um die gesamte Ivaragh-Halbinsel zieht.

Killarney Riding Stables
Die Besitzer des Reitstalles bieten neben stundenweiser Vermietung ihrer Pferde (Hunter, Ponies) auch Unterkunft im Farmhaus und mehrtägiges Trailreiten. *Ballydowney, 2 km westl. an der R 562, Tel. 064/ 316 86, Fax 341 19*

Killarney Waterbus
Einstündige Bootsfahrt auf dem Lough Leane zwischen Inisfallen Island und Darby's Gardens. Abfahrt: *Ross Castle, 2 km außerhalb der Stadt, Busservice von Destination Killarney, Scott's Gardens, East Ave. Rd., Tel. 064/32638, 11 und 17 Uhr alle 90 Minuten, 7,80 Euro*

Nature Trails
Am besten lässt sich die Umgebung von Killarney zu Fuß erforschen. Im Nationalpark laden zahlreiche *Nature Trails* zum Wandern ein. Das Gebiet mit einem großen Eichenbestand, in dem auch eine Rotwildherde heimisch ist, umfasst etwa 10 000 ha.

AM ABEND

Killarney Manor
Fest mit traditioneller Musik und Tanz bei einem Menü in einem Manor House aus dem 19. Jh. Gastgeber: Lord und Lady Killarney. *Loreto Road (Muckross Road), Tel. 064/315 51, www.killarneymanor.com*

The Laurels
Von März bis Oktober herrscht jeden Abend ab 21 Uhr beste irische Stimmung in diesem traditionellen Singing Pub. *Main Street*

AUSKUNFT

Tourist Office
Tgl. 9–18 Uhr, Beech Road, New Street, Tel. 064/316 33, Fax 345 06, www.killarney.ie

ZIELE IN DER UMGEBUNG

Blasket Islands [122 A2] Insider Tipp
Noch bis 1953 waren die Inseln von einer gälisch sprechenden Gemeinschaft bewohnt, die mehr als ein Dutzend Bücher veröffentlicht hat, einige davon sind erhältlich im *Blasket Centre* in *Dunquin (Eintritt 3,25 Euro)*. Im alten Haus der Autorin Peig Sayers gibt es heute einen Teeausschank. Bootsverkehr für Tagesausflüge im Sommer ab Dunquin Harbour *(20 km westl. von Dingle)*.

Dingle [122 B2]
Die Hauptstadt der gleichnamigen Halbinsel im Westen (70 km) bezaubert als geschäftige Marktstadt (1500 Ew.) und besitzt einen der schönsten Naturhäfen Irlands. Über 150 km führt der *Dingle Way* vorbei an Sandstränden und Bergmassiven. Vorzügliche Fischgerichte in *Doyle's Seafood Bar* in der *John Street, €€*. Bemerkenswert sind die vielen archäologischen Stätten der Gegend.

Gap of Dunloe [122 C3]
Ab *Kate Kearney's Cottage* (heute Touristenshop) windet sich die für Autos gesperrte Straße

durch die wunderschöne Schlucht, vorbei an Wasserfällen, Bergseen und Felsen, zur Rechten die *Macgillycuddy's Reeks,* zur Linken die *Purple Mountains.* Ein Spaziergang führt in nahezu unberührte Natur. Im Sommer trifft man jedoch viele Besucher.

Ring of Kerry **[122 A–C 3–4]**

★ Eine einzigartige Küsten- und Panoramastraße, die knapp 200 km lange Ring-of-Kerry-Tour, führt um die Iveragh-Halbinsel. Um die großartige Landschaft auch richtig genießen zu können, sollten mindestens zwei Tage für den Ausflug eingeplant werden. Atemraubende Blicke über die *Dingle Bay* ergeben sich auf der Strecke von Glenbeigh nach Cahirciveen. Von Portmagee aus führt eine Brücke nach *Valentia Island.* Hier wachsen riesige Fuchsien, Rhododendren und Brombeersträucher, dazwischen liegen weite Ebenen. Einen verschlafenen Eindruck bietet *Knightstown,* die größte Stadt der Insel und Ausgangspunkt für Angel- und Tauchtouren. 1857 machte Knightstown von sich reden, als hier die erste transatlantische Telegrafenverbindung Europas eingerichtet wurde. Auf dem Festland ist das zwischen dem Meer und einem See wie in einer Lagune liegende *Waterville* ein Anglerparadies. Zahlreiche Wanderwege führen rund um den *Lough Currane* und in die dahinter liegenden Berge.

Eine Besichtigung lohnt das in einem gepflegten Park liegende *Derrynane House* in *Caherdaniel* Insider Tipp *(Mo–Sa 9–18 Uhr, Eintritt 2,40 Eu-*

Halbinsel Iveragh an der einzigartigen Küste des Ring of Kerry

ro, www.caherdaniel.net), damals Wohnsitz des irischen Nationalhelden Daniel O'Connell. Nordöstlich von Castlecove führt eine Straße (ca. 4 km) zum *Staigue Fort*, einem sehr gut erhaltenen Ringfort, vermutlich vor der Zeitenwende errichtet. Übernachtung auf halber Strecke bei Valentia Island im *Cahirciveen Park Hotel, 24 Zi., Valentia Road, Cahirciveen, Tel. 066/947 25 43, Fax 947 28 93, €€*

KINSALE

[124 A6] ★ Ein rundum hübsches Hafenstädtchen (2500 Ew.), heiter-pittoresk, mit georgianischen Häuserreihen entlang enger, gewundener Straßen, einer blumengeschmückten Meerespromenade und im Hafen vertäuten Segelyachten. Während der im August stattfindenden Segelregatta, dem Topereignis der Region – sowohl sportlich als auch gesellschaftlich –, quillt die Stadt über vor guter Stimmung. Die übrige Zeit lockt Kinsale mit seinen zahlreichen Kneipen und Restaurants. Die Stadt wirbt mit dem Prädikat »Culinary Capital of Ireland«. Tatsächlich gibt es in Kinsale ausgezeichnete Lokale, die sich das Prädikat allerdings gut bezahlen lassen.

SEHENSWERTES

Charles Fort

Ein schöner einstündiger Spaziergang führt entlang der Bucht durch Scilly und Summercove zum britischen Fort. Die gewaltige, fünfzackige Festungsanlage aus dem Jahre 1678 ist gut erhalten und wurde restauriert; sie bewachte zusammen mit dem auf der gegenüberliegenden Seite stehenden und über eine Brücke zu erreichenden James Fort (1602) die Hafeneinfahrt. *April–Okt. tgl. 10–18 Uhr, Summercove Eintritt 3 Euro*

St. Multose

Das älteste Gebäude der Stadt ist die im 12. Jh. von den Normannen erbaute Kirche. Auf dem Kirchhof sind einige der über 1000 Opfer der Lusitania-Katastrophe begraben. Die Torpedierung des von Liverpool nach New York fahrenden Passagierschiffes durch ein deutsches U-Boot brachte Kinsale 1915 in die Weltpresse. Die USA entschieden sich daraufhin, in den Krieg einzugreifen. *Church Street*

MUSEUM

Regional Museum

Die spannende Geschichte der Stadt von der megalithischen Siedlung bis zur Schlacht der englischen Besatzer gegen die Spanier zeigt man im ehemaligen Amtsgericht (1706). *Tgl. 10–16 Uhr, Old Court House, Market Square, Eintritt frei*

ESSEN & TRINKEN

Die renommiertesten Restaurants sind im »Good Food Circle« zusammengeschlossen und tragen eine entsprechende Türplakette.

1601

Treff von Studenten und jungen Leuten, die die entspannte Atmosphäre sowie die guten und günstigen Pastagerichte schätzen; auch Kunstausstellungen. *Pearse Street, Tel. 021/477 25 29, €*

Savannah
Mit Blick über den Hafen, Tagesmenü und ausführliche Karte, täglich frischer Fisch. *Im Trident-Hotel, World's End, Tel. 021/477 23 01, €€*

EINKAUFEN

Boland
Boland bietet das größte Angebot in der Stadt an irischem Kunsthandwerk und Souvenirs. Auch Zeitungen. *Pearse Street*

ÜBERNACHTEN

Blue Haven
Viktorianische Eleganz im Zentrum der Stadt, mit preisgekröntem Restaurant (€€). *18 Zi., Pearse Street, Tel. 021/747 22 09, Fax 477 42 68, €€*

Buckley's Cottage Loft
Ehemals vornehmes Stadthaus in zentraler Lage, zum Gästehaus konvertiert, mit sehr gutem Restaurant. *6 Zi., 6, Main Street, Tel. 021/477 28 03, €*

FREIZEIT & SPORT

Deco's Cycles
Fahrräder kosten 7,80 Euro pro Tag oder 40 Euro pro Woche. Eine Profi-Angelausrüstung kostet 7,80 Euro pro Tag. Komplette Angeltouren auf Anfrage. *18, Main Street, Tel./Fax 021/477 48 84*

Outdoor Education Centre
Segeln, Windsurfen, Kanutouren, Bergsteigen, Freiklettern, Naturerkundung und vieles mehr, Kurse für Anfänger und Fortgeschrittene, Treffpunkt für aktive und sportliche junge Leute. *St. John's Hill, Tel. 477 28 96*

AM ABEND

The Spaniard
Ein *must:* in diesem »olde worlde inn of character and charm« stimmt alles. Über dem Hafen gelegen ist das Kneipenrestaurant Treff für Jung und Alt, die die köstlichen Gerichte (zum Beispiel *seafood chowder, bacon & cabbage*), die Musik und das urige Mobiliar schätzen. *Scilly, Tel. 021/477 24 36*

AUSKUNFT

Tourist Office
Tgl. 9–18 Uhr, Tel. 021/477 40 26, Fax 477 44 38, Emmet Street, www.kinsale.ie

LIMERICK

Karte in der hinteren Umschlagklappe

[124 B1] Auf ihrer Rundreise durch Irland kommen viele Besucher an Limerick, das dem berühmten fünfzeiligen Spottvers seinen Namen gab, vorbei. Die mit 75 000 Einwohnern drittgrößte Stadt des Landes ist nicht besonders schön, sie beeindruckt weder als Metropole (wie Cork) noch als leichtlebiges Seebad (wie Galway).

Aber die Stadt ist geschichtsträchtig: Als älteste Siedlung des Landes wurde sie von den Kelten erbaut. Die Normannen errichteten Stadtmauern und Burgen und führten eine Brücke über den Shannon. Im 18. Jh. nahm Limerick seine heutige Form an, mit breiten Straßen und imposanten Stadthäusern im georgianischen Stil. Die Stadt besteht aus drei Teilen, von denen Englishtown mit kleinen und engen Straßen aus dem Mittelalter der älteste ist und auf einer Insel im Shannon erbaut wurde; im 13. Jh. entwickelte sich Irishtown, und Newton Pery bildet das moderne Zentrum.

Wenige Kilometer nördlich der Stadt liegt Shannon Airport: Der bereits 1945 als Zwischenstopp für Propellerflugzeuge auf dem Weg nach Amerika gegründete Flughafen liegt günstig für Besucher, die sowohl den Südwesten Irlands kennen lernen wollen als auch Galway und die Shannon-Region bereisen.

SEHENSWERTES

King John's Castle
Die im frühen 13. Jh. von den Normannen erbaute mächtige Burg hatte ursprünglich vier Rundtürme, von denen einer als Bastion umgebaut wurde. Heute ersetzen Eingangsstufen die frühere Zugbrücke. Das Castle wurde aufwändig restauriert und beherbergt ein Museum, das die Geschichte der Stadt dokumentiert. *März–Okt. tgl. 10–18, Nov.–Febr. nur So 11–16 Uhr, Eintritt 4,70 Euro, Castle Parade/Nicholas Street*

St.Mary's Cathedral
Die 1172 von Donald Mor O'Brian erbaute protestantische Kirche enthält kostbare Antiquitäten. *Im Sommer tgl. 9–13 und 14.30 bis 17.30 Uhr, im Winter 9–13 Uhr, Bridge Street*

Walking Tours
Geführte Spaziergänge zu einem Dutzend Sehenswürdigkeiten bietet *Mary's Action Centre (tgl. 11 und 14.30 Uhr, 44, Nicholas Street, Tel. 061/31 81 06, abends und Wochenende Tel. 32 71 08, www.ireland.iol.ie/~smidp, 5,20 Euro).*

MUSEEN

Hunt Museum
Eine private Kunstsammlung mit zahlreichen archäologischen Fundstücken – ein Spiegel keltischen Kunst- und Dekorationssinns. Außerdem zu sehen: Werke von Leonardo da Vinci, Renoir und Yeats, untergebracht im stilvollen historischen *Old Customs House.* Mit gutem Restaurant. *Mo–Sa 10–17, So 14–17 Uhr, Rutland Street, Eintritt 5 Euro*

Limerick Museum
Das in einem georgianischen Haus untergebrachte Museum beherbergt eine Sammlung von Exponaten aus der Wikingerzeit. Historische Landkarten demonstrieren die Stadtentwicklung. Funde vom Lough Gur, einem 20 km entfernt liegenden See. *Di–Sa 10–13 und 14.15–17 Uhr, Eintritt frei, King John's Square*

ESSEN & TRINKEN

Chez O'Shea
Im Kellergewölbe serviert man am offenen Kamin Romantik und feine irische Kost. *Di–Sa 17–23 Uhr, 74, O'Connell Street, Tel. 061/ 31 63 11,* €€

Freddy's Bistro
Italienische und irische Küche in einem stilvollen Natursteinhaus des 19. Jhs.; auch vegetarische Ge-

richte. Sehr zu empfehlen: »Irish Guinness Stew«. *Di–So ab 18 Uhr, Theatre Lane (Lower Glentworth Street), Tel. 061/41 87 49, €€*

Mortells Delicatessen & Seafood
Als Spezialitäten aus dem Meer werden angeboten: Muscheln, Austern, Langusten und frischer Fisch, dazu »Carvery Lunch«. *Tgl. 8.30 bis 18 Uhr, 49 Roches Street, Tel. 061/41 54 57, €€*

EINKAUFEN

Irish Handcrafts
Tweed, feines Leinen, ausgefallene Webarbeiten. 26, *Patrick Street*

ÜBERNACHTEN

Insider Tipp

An Oige Hostel
Schöne Zimmer in einem georgianischen Haus im Zentrum. *66 Betten, 1, Pery Square, Tel. 061/31 46 72, Fax 31 46 72, €*

Cruises House
Ein Gästehaus in zentraler Lage, auch preiswertere Zimmer ohne Bad. *25 Zi., Denmark Street, Tel. 061/315320, Fax 316995, €€*

Glentworth
Vierstöckiges Stadthaus mit beliebtem Restaurant, abends oft Unterhaltung; günstige Lage. *57 Zi., Glentworth Street, Tel. 061/41 38 22, Fax 41 30 73, €€*

AM ABEND

Dolan's Pub & The Warehouse
Guinness und Gesang: Im Pub (vorher lässt sich das angeschlossene Restaurant besuchen) spielt man abends traditionelle Musik, sonntags ab 18 Uhr, Di mit Tanz. Im Warehouse nebenan gibt es Konzerte und Disko, alle paar Tage spielt eine neue Gruppe. *Beginn meist 22 Uhr, Tickets 3,50–12 Euro, 3–4 Dock Road, Tel. 061/31 44 83, www.dolanspub.com*

Insider Tipp

AUSKUNFT

Tourist Office
Tgl. 9–18 Uhr, Arthur's Quay, Tel. 061/31 75 22, Fax 31 79 39, www.visitLimerick.com

ZIELE IN DER UMGEBUNG

Adare **[124 B2]**
Im 18 km südwestlich von Limerick gelegenen Adare (700 Ew.), in den Medien als »schönstes Dorf Irlands« gepriesen, ist das »schönste Hotel Irlands«, *Adare Manor (63 Zi., Tel. 061/396566, Fax 396124, www.adaremanor.com, €€€)* sehenswert, für zwei Jahrhunderte Sitz der Earls of Dunraven. Das gotische Anwesen wurde mit 75 Kaminen und bleiverglasten Fenstern, so vielen, wie das Jahr Tage hat, ausgestattet. Angeschlossen ist ein Golfplatz. Im Dorf, gleich neben der Einfahrt zum Schloss, locken das blumengeschmückte *Thatched Cottages* mit Kunstgewerbe und in Bilderbuchcottages untergebrachte Restaurants.

Bunratty Castle **[124 B1]**
Ein Besuch des etwa 16 km nordwestlich (auf der N 18 Richtung Ennis) entfernte Bunratty Castle lohnt sich auf jeden Fall. Die restaurierte Burg beeindruckt insbesondere durch ihre kostbaren alten Möbel. Zweimal täglich (18 und 21 Uhr)

Typisch für Adare: die strohgedeckten Cottages

werden mittelalterliche Bankette veranstaltet, bei denen unter Musikbegleitung das Essen im alten Stil aufgetragen wird. Unmittelbar hinter der Burg erstreckt sich der *Bunratty Folk Park*, die Nachbildung eines irischen Dorfes aus dem 19. Jh. mit Gebäuden, in denen die Dinge der guten alten Zeit erstanden werden können. *Tgl. 9.30–17.30 Uhr, Eintritt 6,80 Euro, Kinder 4 Euro (Castle und Park)*

Craggaunowen **[124 B1]**

Am Südostrand von Quin zwischen Limerick und Ennis im County Clare befindet sich seit den 60er-Jahren des 20. Jhs. ein sehenswertes Freilichtmuseum mit einer bronzezeitlichen, im Wasser liegenden Wohnsiedlung *(crannog)*. Ebenfalls zu besichtigen sind ein Ringfort mit Farm aus dem 5. Jh. und das Boot von Tim Severin, mit dem dieser 1976 von Irland nach Grönland segelte, um zu beweisen, dass die Kelten durchaus vor Kolumbus Amerika entdeckt haben könnten. In historische Kostüme gekleidet, erläutern Angestellte handwerkliche Fertigkeiten von damals. Craggaunowen Castle erhebt sich auf einem Landvorsprung *(crag)* über dem See. *April–Okt. tgl. 10–18 Uhr, Eintritt 2,40 Euro*

Lough Gur **[124 B2]**

Der kleine See liegt etwa 20 km südlich von Limerick und ist mit seiner Umgebung eine der ganz bedeutenden archäologischen Stätten des Landes. Tausende von Objekten aus der Steinzeit wurden hier ausgegraben und sind im *Stone Age Centre* ausgestellt, darunter Modelle von Grabkammern und Steinkreisen sowie Werkzeuge und prähistorische Töpferarbeiten. *Mai bis Sept. tgl. 10–18 Uhr, Eintritt 3 Euro*

Mondlandschaft und fischreiche Seen

Ursprüngliche Gegenden laden zum Wandern und Verweilen ein

Die Westküste Irlands ist ein viel besuchtes Ferienland, und nicht wenige Urlauber landen direkt auf dem Shannon Airport. Er avancierte in kurzer Zeit zum internationalen Flughafen.

Kabinenkreuzerfahrten auf dem Fluss Shannon und seinen Seen werden bei Touristen immer beliebter. Unweit von Galway erstreckt sich das felsige Hochplateau des Burren mit unterirdischen Gängen und Höhlen – ein Abenteuer für sich. Es ist eine eigenartige, fast trostlos erscheinende Gegend, von vielen mit einer Mondlandschaft verglichen. Am schönsten ist es im Frühjahr, wenn bunte Blüten zwischen den Felsen das Gebiet fruchtbar erscheinen lassen.

Das lebhafte Galway lädt ein nach Connemara, dem Gebiet mit großen, fischreichen Seen. Connemara sollte man kreuz und quer erkunden, am besten erwandern oder erradeln. Wer es noch ursprünglicher sucht, der wird mit der Fähre übersetzen auf die Aran-Inseln, wohl eine der letzten Bastionen des Gälischen.

Die fischreichen Seen machen die Westküste zum Anglerparadies

GALWAY

[118 C4] Galway (60 000 Ew.), das Tor zu Connemara, ist eine vibrierende Stadt. Nicht nur an Sommertagen schieben sich Menschenmassen durch die verwinkelten Kopfsteinpflastergassen des Mittelalters. Man flaniert, kauft ein in den vielen vorzüglichen Geschäften, isst ein Eis oder sieht den Gauklern zu, die auf dem grünen Herzen der Stadt, dem Eyre Square, ihre Vorführungen geben. Dank der Universität ist die Stadt voller junger Leute, die sich in den Cafés treffen und Flohmärkte veranstalten. Im Sommer ist Festivalzeit, und während keiner anderen Jahreszeit zeigt sich die brodelnde Energie Galways deutlicher. Beim Pferderennen im Juli, beim Arts Festival mit Musik und Theater (ebenfalls Juli) und ganz besonders beim Oyster Festival im September herrscht viel Betrieb, und die Luft wird dünner beim Bad in der Menge. Gegenwärtig erlebt Galway einen gewaltigen wirtschaftlichen Aufschwung, an jeder Ecke wird renoviert und saniert, um die Stadt noch hübscher zu machen. Da viele angrenzende Gebiete Gaeltacht-Regionen sind, lebt die alte irische Sprache besonders in Galway weiter fort.

SEHENSWERTES

John Fitzgerald Kennedy Memorial Park

Im Jahr 1963 erhielt der frühere amerikanische Präsident auf diesem Platz die Ehrenbürgerschaft der Stadt. Sehenswert ist *Browne's Gateway*, der ehemalige, schön restaurierte Eingang zum Stadthaus reicher Galwayer Bürger. *Eyre Square*

Lynch's Castle

Der aus dem 15. Jh. stammende, sehr gut erhaltene Stadtpalast gehörte einer früher einer angesehenen Familie. Heute beherbergt er eine Bank. *Mo–Fr 10–12.30, 13.30 bis 15 Uhr, Eintritt frei, Shop Street*

Lynch's Memorial Window

Es passierte 1493: James Lynch, Bürgermeister der Stadt, erklärte seinen Sohn für schuldig, aus Eifersucht einen Spanier umgebracht zu haben. Da niemand den Sohn hinrichten wollte, griff der Vater eigenhändig zu und hängte den Jungen. Die Galwayer Bürger schwören, dass seitdem der Wortschatz um den Ausdruck »lynchen« erweitert war. Ein Torbogen mit Gedenkplatte erinnert an den denkwürdigen Vorfall. *Market Street*

St. Nicholas Church

Die größte mittelalterliche Kirche des Landes stammt aus dem Jahr 1320. Sie wurde in den folgenden Jahrhunderten umgebaut und erweitert. Nach der Legende soll Kolumbus in dieser Kirche eine Messe

Sonnige Gasse in der Altstadt von Galway, dem neuen Hightechzentrum

MARCO POLO Highlights »Die Westküste«

★ **Aran Islands**
Drei altertümliche Inseln und ein Ringfort (Seite 66)

★ **Taibhdhearc na Gaillimhe**
Ein gälisches Theater – durchaus zu verstehen (Seite 66)

★ **Cliffs of Moher**
Hier übertrifft sich Irlands Küste selbst (Seite 68)

★ **Connemara**
Strände an einer phantastische Küste, Wasserfälle – Natur pur für Wanderer (Seite 68)

★ **Burren**
Karges Land mit arktischen Pflanzen, abenteuerlichen Höhlen und unterirdische Flüsse (Seite 67)

besucht haben, bevor er wieder nach Amerika in See stach. *Market Street*

University College
Das in einer Nachahmung des Tudorstils errichtete College öffnete 1849 seine Pforten. Es beherbergt heute ein Unesco-Institut, in dem an einem Archiv für keltische Sprachen gearbeitet wird. Es werden auch Sommerkurse für Gälisch angeboten. Schöne Grünanlagen. *University Road*

MUSEUM

Galway City Museum
Interessantes Heimatmuseum zur Stadtgeschichte. Hervorragender Blick auf Stadt und Hafen von der Terrasse. *Mo–Fr 10–17 Uhr, Eintritt 1,30 Euro, Spanish Arch*

ESSEN & TRINKEN

Druid Lane
Auf der Speisekarte steht in erster Linie Fisch, aber auch Lamm (mit Brandy-Pilzsauce) und Geflügel; serviert wird auf zwei Etagen. *Quay Street, Tel. 091/56 30 15, €€*

Kirwan's
Insider Tipp
Kreative Küche im neuen irischen Stil abseits von Kohl & Kartoffeln in einer mittelalterlichen Gasse. *Kirwan's Lane (Quay Street), Tel. 091/56 82 66, €€*

McDonagh's Seafood House
Seit 1902 Frisches aus dem Meer von »the people who know their fish«; auch fish'n'chips. *22, Quay Street, Tel. 091/56 50 01, €€*

EINKAUFEN

Design Ireland Plus
Vorzügliches Kunsthandwerk in irischen Mustern und Formen. *The Cornstore, Middle Street*

Galway Irish Crystal
Das Heritage Centre macht mit der Herstellung des berühmten irischen Kristallglases vertraut. Angeschlossener Verkaufsraum und Restau-

rant. *Mo–Sa 9–18, So ab 10 Uhr, Merlin Park, Dublin Road (N 6).*

ÜBERNACHTEN

Brennans Yard Hotel
Älteres Haus aus Naturstein mit unterschiedlichen Zimmern, alle mit Bad; auch Restaurantbetrieb. *45 Zi., Lower Merchants Road, Tel. 091/56 81 66, Fax 56 82 62, www.hotelbook.com, €€*

Galway Bay Hotel
Modernes Komforthaus im Vorort Salthill, Zimmer mit Meerblick. *153 Zi., The Promenade, Salthill, Tel. 091/520520, Fax 52 05 30, www.galwaybayhotel.net, €€€*

Quay Street House Hostel
Privates Hostel in lebhafter Fußgängerzone, auch Schlafsäle. *112 Betten in 22 Zi., 10, Quay Street., Tel./Fax 091/56 86 44, www.barnacles.ie, €*

FREIZEIT & SPORT

Clonboo Riding School
Clonboo Cross, Corrundulla (N 84), Tel. 091/79 13 62

Radfahren
Tgl. Radtouren nach Connemara und Burren, auch Fahrradvermietung. *Europa Bicycles, Earls Island, Tel./Fax 091/56 33 55*

AM ABEND

Taibhdhearc na Gaillimhe
★ Auch wenn man die ausschließlich gälischsprachigen Stücke nicht ganz verstehen kann, lohnt sich ein Besuch des Theaters. Ausgelassenes Musikprogramm vorweg. *Middle Street, Tel. 091/56 36 00*

AUSKUNFT

Tourist Office
Tgl. 9–18 Uhr, Eyre Square, Tel. 091/56 30 81, Fax 56 52 01, info@irelandwest.ie

ZIELE IN DER UMGEBUNG

Aran Islands **[118 A–B 3–4]**
★ Gegenüber der Bucht von Galway liegen die Aran-Inseln Inisheer, Inishmaan und Inishmore; die letztere ist mit 12 mal 4 km die größte. Die Aran Islands (1500 Ew.) sind

Das irische Tagebuch von Heinrich Böll

Das Buch, 1957 erschienen, gehört noch immer in jede Reisetasche

Dieses Werk zog Abertausende nach Achill Island, einer Insel vor der Westküste Irlands, auf der Heinrich Böll sich ein Ferienhaus gekauft hatte. Wie kein zweites Buch beeinflusste das Tagebuch das Irlandbild der Touristen. »Es gibt dieses Irland«, schrieb Böll im Vorwort, »wer aber hinfährt und es nicht findet, hat keine Ersatzansprüche an den Autor.«

Im Burren trifft man auf viele prähistorische Denkmäler

landesweit bekannt für keltisches Brauchtum und Sprache. Schon lange ist die Außenwelt fasziniert von diesen kahlen, kleinen Inseln, auf denen in vielerlei Hinsicht die Zeit still zu stehen scheint. Auf Inishmore liegt *Dun Aengus,* das bedeutendste und schönste Steinfort Irlands in abenteuerlicher Lage am Rand der Steilküste. Einige Besucher robben auf allen vieren heran an den Abgrund: 100 m tiefer donnert der Atlantik gegen die Felsen.

Kunstvoll aufgeschichtete Steinmauern duchziehen die Inseln, speichern Wärme und schützen vor Wind. Genauso wie die überall angebotenen Aran Sweaters, eine günstige Kaufgelegenheit. Urige Pensionen bieten Bed & (full Irish) Breakfast, und abends locken die Pubs. *Tgl. Fährverbindung von verschiedenen Häfen, z.B. Galway nach Inishmore (2,5 Std.) und Rossaveal (Connemara; kürzeste Verbindung) sowie Flüge mit der Aer Arann vom Regional Airport in Inverin (Tel. 091/59 3034, Fax 59 3238, www.aerarann.ie)*

Burren **[118 B–C 4–5]**

★ Den Nordwesten der Grafschaft Clare nimmt ein Gebiet ein, das in Europa und auf der Welt seinesgleichen sucht: der Burren, eine etwa 160 km² große Landschaft, die aus kahlem Kalkstein, einer Mondlandschaft vergleichbar, besteht. Hier wachsen arktische und alpine Pflanzen nebeneinander, im Sommer blühen sogar Orchideen.

Inmitten des Burren liegt *Aillwee Cave,* ein Untergrundlabyrinth aus Höhlen und Flüssen sowie Millionen von Stalaktiten *(Ballyvaughan, tgl. 10–18 Uhr, www.aillweecave.ie, Eintritt 6 Euro).* Während der Frühgeschichte Irlands war der Burren bewohnt, und noch heute erinnern Dolmen und

Ringforts wie der *Poulnabrone Dolmen* an diese Zeit.

Im kleinen *Kilfenora* befindet sich das Burren Display Centre mit Ausstellungen und audiovisueller Präsentation. Übernachtung in *Gregans Castle Hotel* bei Ballyvaughan, *22 Zi., Tel. 065/707 70 05, Fax 707 71 11, www.gregans.ie, €€€*. *Doolin*, ein ansonsten unbedeutendes Fischerdorf an der Westküste, 14 km nordwestlich von Lahinch, ist das Musikmekka Irlands mit vielen Musikpubs. Über 8 km erstrecken sich die bis zu 200 m hohen ★ *Cliffs of Moher*, 6 km südlich von Doolin. Beste Aussicht auf die imposante Naturschönheit aus Sandstein und Schiefer ergibt sich vom *O'Brien's Tower* neben dem zentralen Parkplatz.

Seit 1845 operiert das viktorianische *Spa* im Burren. Ein Tag mit Insider Tipp Schwefelbad, Massage, Wachsbad, Aromatherapie, zum Abschluss ein Spaziergang im Garten am Fluss Aille *(Lisdoonvarna, County Clare, Tel. 065/7074023, Juni–Sept. Mo bis Fr 10–18, Sa 10–14 Uhr, Anwendungen 13–33 Euro)*.

Connemara **[118 A–B2]**

Das 1812 gegründete, kleine *Clifden* (1500 Ew.) ist für viele Ausgangspunkt für eine etwa 150 km lange Radtour über die teilweise wunderschöne Küstenstrecke durch ★ Connemara und für einen Besuch der östlich gelegenen Bergkette *The Twelve Pins*. Connemara verfügt über eine kahle Landschaft von eigentümlichem Reiz; ein Netz von Steinmauern durchzieht die Felder, die Küstenlinie ist gesäumt von wunderbar weißen Stränden. Die zögernde wirtschaftliche Entwicklung und die ungünstige Lage haben eine Fortdauer alter bäuerlicher Lebensweise mit sich gebracht. Darüber hinaus ist Connemara eines der wenigen Gaeltacht-Gebiete.

Zu Recht touristische Sehenswürdigkeit par excellence: Cliffs of Moher

Die MARCO POLO Bitte

WWF

Marco Polo war der erste Weltreisende. Er reiste in friedlicher Absicht, verband Ost und West. Er wollte die Welt entdecken, fremde Kulturen kennen lernen, nicht zerstören. Könnte er heute für uns Reisende nicht Vorbild sein? Aufgeschlossen und friedlich sollte unsere Haltung auf Reisen sein. Dazu gehören auch Respekt vor Mensch und Tier und die Bewahrung der Umwelt.

WESTPORT

[114 B6] Die Fahrt durch das gälische Connemara führt nach Westport an der Clew Bay, einer mit zahlreichen kleinen und kleinsten Inseln übersäten Bucht, die gelegentlich auch die »Bucht der 365 Inseln« genannt wird. Die ruhige Kleinstadt (3500 Ew.) ist ein georgianisches Juwel mit ihren gut erhaltenen Gebäuden und einer vorzüglichen Stadtplanung. Sie schmiegt sich um einen achtseitigen Platz und wird von dem kanalisierten kleinen Fluss Carrowbeg River geteilt.

Die im 18. Jh. an einem Arm der Bucht erbaute Hafenstadt gelangte durch Handel mit Garnen und Stoffen und durch ihren Hafen, über den landwirtschaftliche Produkte aus- und Holz eingeführt wurden, schnell zu erheblichem Reichtum. Dieser spiegelt sich heute in einer Reihe eindrucksvoller Wohnhäuser wider. Als im 19. Jh. die industrielle Konkurrenz in England billigere Leinen- und Baumwollstoffe liefern konnte und eine Eisenbahnlinie von Dublin die Bedeutung des Hafens verringerte, verlor Westport an Bedeutung. Heute blüht der Ort wieder auf.

SEHENSWERTES

Alter Hafen

Die Lagerhäuser und Kaianlagen stammen aus der Gründungszeit der Stadt. Die Gebäude stehen zum größten Teil leer und drohen zu verfallen. Die Stadt beginnt jedoch mit der Restaurierung und dem Erhalt der wichtigsten Bauwerke. Dem Besucher eröffnet sich ein Einblick in die einstige wirtschaftliche Blüte des Hafens.

Georgianische Wohnhäuser

Die Hauptstraße der Stadt, *The Mall*, verläuft unter Reihen von Linden zu beiden Seiten des schmalen Carrowbeg River, der von mehreren Brücken aus dem 18. Jh. überspannt wird. Die Straßenseiten sind gesäumt von Häusern, deren Fassaden aus dem 18. und 19. Jh. sehr gut erhalten sind. Das zweifellos schönste Haus mit fünf Vorwölbungen und einem eindrucksvollen Eingangsportal steht bei der (ebenfalls sehenswerten) neoromanischen Kirche St. Mary.

Octagon

Auch der Hauptplatz der Stadt, mit acht Seiten gleicher Länge, von denen drei durch eine Straßeneinmündung geteilt werden, ist sehenswert. Er zeigt die Sorgfalt, mit der die Anlage der Stadt geplant wurde. In seinem Zentrum steht eine dorische Säule auf einer achteckigen Granitbasis, die früher eine Statue gekrönt haben mag.

Westport House

Das 1731 auf den Fundamenten eines Gebäudes aus dem 17. Jh. für die Grafen von Sligo errichtete frühgeorgianische Herrenhaus wurde Ende des 18. Jhs. erheblich erweitert. Anziehend sind seine wundervolle Lage mit Blick auf die Clew Bay sowie einige Glasarbeiten und Holzschnitzereien im Art-nouveau-Stil. In den Schlafzimmern und Speiseräumen sind wertvolle Mahagoniarbeiten und chinesische Tapeten aus dem Jahre 1780 erhalten. Da der Erhalt des Schlosses hohe Kosten verursacht, haben die Besitzer, die Familie des Grafen von Sligo, ihr Haus schon 1960 der Bevölkerung zugänglich gemacht. Man findet daher eine Reihe von Geschäften mit Souvenirs, Kunstgegenständen, Antiquitäten und Modeartikeln, in den ehemaligen Verliesen einen Buchladen sowie Kinderspielgeräte und ein Büro zum Aufspüren irischer Vorfahren. Auf dem Parkgelände ist ein Kinderzoo errichtet worden, und Kutschen sorgen für den Transport. Das Herrenhaus liegt 2 km entfernt an der Straße zur Clew Bay. *Juni–Sept. tgl. 14–18 Uhr, Eintritt 11 Euro, Kinder 5 Euro, www.westport house.ie*

ESSEN & TRINKEN

China Court

Chinesische Küche, delikat und gar nicht teuer, oft bis auf den letzten Platz besetzt. *Tgl. 17–23.30 Uhr, Unit 5, Market Lane, Bridge Street, Tel. 098/281 77,* €€

Quay Cottage

Insider Tipp

Fischspezialitäten, frische Salate und viele vegetarische Gerichte werden in rustikaler Umgebung serviert. *Tgl. ab 18 Uhr, The Harbour (am Eingang zum Westport House), Tel. 098/264 12, www.quay cottage.com,* €€

ÜBERNACHTEN

The Granary

In einem ehemaligen Speicher aus Naturstein, mit großem Garten. 22 Betten in 2 Schlafsälen. *Quay Road, Westport Harbour, Tel./Fax 098/259 03,* €

Olde Railway Hotel

Insider Tipp

200 Jahre altes georgianisches Haus mit stilvoller Inneneinrichtung. *25 Zi., The Mall, Tel. 098/251 66, Fax 250 90, www.anu.ie/railwayhotel,* €€

Westport Woods

Modern, beim Westport House, kinderfreundlich. *110 Zi., Quay Road, Tel. 098/258 11, Fax 262 12, www.westportwoodshotel.com,* €€€

AUSKUNFT

Tourist Information Office

James' Street, Tel. 098/257 11, Fax 267 09, westport@irelandwest.ie

ZIELE IN DER UMGEBUNG

Clare Island **[114 A5–6]**

Kleine Insel, die im 16. Jh. Heimat der Piratenkönigin Grace O'Malley

Irlands heiliger Berg, der Croagh Patrick, ist Ziel zahlreicher Pilger

war. Ihre Burg, die im 19. Jh. renoviert wurde, steht noch. Anfahrt über Roonagh Point, 20 km westlich von Westport, per Boot.

Croagh Patrick **[114 B6]**

9 km in südwestlicher Richtung erblickt man den perfekten Kegel des 765 m hohen Berges, den man am besten von *Murrisk Abbey,* einem an der Bucht gelegenen Augustinerkloster aus dem Jahr 1457, besteigt. Auf dem Plateau findet man eine kleine Kapelle. Vor allen Dingen hat man einen hervorragenden Rundblick, der bis zur Insel Achill reicht.

Im Jahr 441 soll St. Patrick auf dem Gipfel vierzig Tage gefastet haben. Seitdem ist der heilige Berg Pilgerziel der Iren, vor allem am letzten Sonntag im Juli. An der Südseite findet sich eine Steilwand, an deren Rand Patrick der Sage nach seine Glocke ertönen ließ, mit der er alle Schlangen Irlands anlockte, die sich über den Abgrund stürzten, so dass das Land von den Schlangen befreit wurde. Von *Murrisk* aus, wo eine Statue des hl. Patrick zu sehen ist, wandert man etwa zwei Stunden bis zum Gipfel.

Newport **[114 B5]**

In nördlicher Richtung führt die Straße an der Clew Bay entlang nach Newport (13 km). Diese Strecke ist gut mit dem Fahrrad zu bewältigen, da sie die einzige um Westport ohne Hügel ist. Die Stadt versucht, Touristen anzuziehen, und rühmt sich damit, die Vorfahren von Grace Kelly unter den Einwohnern gehabt zu haben. Zu sehen ist eine Eisenbahnbrücke aus dem 19. Jh., als Teil der ehemaligen Verbindung von Achill Island über Newport nach Westport mit weiterem Anschluss nach Dublin. Angebote zum Hochseeangeln (Meeresforellen) im Hafen. 5 km entfernt liegt Carrickhowley Castle. Das vierstöckige Tower House aus dem 16. Jh. mit runden Ecktürmen gehörte der berühmten Seeräuberin Grace O'Malley.

Von Sligo nach Donegal

Wo die gälische Sprache und das Brauchtum noch gepflegt werden

In Donegal und Sligo, den beiden nördlichsten Grafschaften Irlands, findet man bergige Landschaften mit feinen Sandstränden, zahlreichen Seen und zerklüfteten Küsten. Auch wenn die Sonne sich selten sehen lässt, haben Donegal und Sligo ihren Reiz, zeigt sich doch dann die strenge Erhabenheit der Landschaft. Nahezu überall trifft man auf Zeugen der Vergangenheit, zum Beispiel auf Überreste eines vorzeitlichen Totenkultes bei den Gräbern von Carrowmore – die wahrscheinlich ältesten prähistorischen Bestattungsstätten Irlands – und auf bronzezeitliche Steinkreise.

Auch Donegals Westen ist historisch interessant. Hier sind gälisches Brauchtum und gälische Sprache weit verbreitet. Die Menschen arbeiten als Bauern oder in den Tweedstoffwebereien. Inzwischen bemüht man sich um eine intensive Förderung des Tourismus, und jetzt gibt es auch eine direkte Flugverbindung von Dublin nach Carrickfinn im Westen Donegals.

Eine Reise durch den Nordwesten Irlands führt an alten Höfen und Cottages wie diesem vorbei

SLIGO

[115 E5] Die kleine, an der Mündung des Garavogue River in der Sligo Bay liegende Hafenstadt Sligo (17 000 Ew.) ist das Zentrum des Nordwestens von Irland. Dieses Gebiet von geheimnisvoller Schönheit, mit Bergen, Seen, Wäldern und Flüssen überreich gesegnet, war die Heimat des Dichters und Nobelpreisträgers W. B. Yeats, der Sligo *The Land of Heart's Desire* nannte und den Schönheiten der Grafschaft ein literarisches Denkmal setzte. Überall in der Stadt erinnern Gebäude und Inschriften an den Lyriker, der, 1865 geboren, in Sligo aufwuchs. Zu der alljährlich im August stattfindenden *Yeats International Summer School* kommen Studenten und Professoren aus aller Welt angereist. Der südlich Sligos im Lough Gill liegenden Insel Innishfree widmete Yeats ein Gedicht, womit Innishfree zum Pilgerziel zahlreicher Yeats-Jünger wurde. Im Sommer ist die Stadt nicht wieder zu erkennen. Nach einem langen Winterschlaf erwacht überall das Leben, und die Straßen sind mit promenierenden Menschen gefüllt, Pubs und Geschäfte haben bis

Ein Juwel unter den Pubs Irlands: Hargadon's Pub in Sligo

spät in den Abend hinein geöffnet, und wenn die Temperaturen steigen, macht sich fast südländische Atmosphäre breit. Die Stadt, 807 von den Wikingern überfallen, ist arm an Sehenswürdigkeiten, doch bestückt mit einer ganzen Anzahl gemütlicher Pubs. Insider Tipp

Für Besucher ist Sligo häufig Ausgangspunkt für mehrtägige Touren nach Donegal, der nördlichsten Grafschaft Irlands.

SEHENSWERTES

Sligo Abbey
Das Dominikanerkloster aus dem 13. Jh. kann auf eine bewegte Geschichte zurückblicken. Es wurde mehrere Male nahezu zerstört. *Tgl. 10–18 Uhr, Eintritt 2 Euro, Abbey Street*

St. John's Cathedral
Die Kathedrale, mit einem beachtenswerten Westturm, stammt aus dem 18. Jh. *Tgl. 10–18 Uhr, John Street*

Yeats Memorial Building
Das Gebäude, von Yeats' Großvater erbaut, war längere Zeit Aufenthaltsort des Schriftstellers. *Mo–Fr 9–17 Uhr, Eintritt frei, O'Connell Street/Wine Street*

MUSEUM

Sligo County Museum und Municipal Art Gallery
★ Exponate aus vorchristlicher Zeit bis zum Beginn des 20. Jhs. Eine Abteilung ist W. B. Yeats gewidmet. Die Gemäldegalerie enthält Werke seines Bruders John B. Yeats. *Di–Fr 10.30–12.30 und 14.30–16.30 Uhr, Eintritt frei, Stephen Street*

ESSEN & TRINKEN

Cygnet
Das Hotelrestaurant liegt am Flussufer, beim Dinner ziehen draußen die Schwäne vorbei. Serviert wird französische Küche. Am Mittwochabend mit traditioneller irischer Musik. *The Silver Swan, Hyde Bridge, Tel. 071/43231,* €€ bis €€€

O'Heirs Tea Room
Hier sitzt man nicht nur bei Tee mit *scones and cream,* auch Suppen, Salate und Sandwiches werden serviert. *Wine Street, Tel. 071/441 71,* €

EINKAUFEN

Michael Kennedy Ceramics Insider Tipp
Vasen, Kerzenhalter, Schalen, das meiste in einem kräftigen Lila – der Künstler ist im ganzen Land bekannt für sein irisches Naturdesign. *Church Street*

Quirke's Sculptures
★ Ideal als Souvenir für zu Hause: Holzschnitzarbeiten, u.a. Figuren aus der irischen Mythologie. *Wine Street*

ÜBERNACHTEN

Ballincar House Hotel
Etwas außerhalb in einem schönen, weitläufigen Park. Tennisplätze. *25 Zi., Rosses Point Road (R 291), Tel. 071/45361, Fax 44198,* €€€

Eden Hill Holiday Hostel
Gut ausgestattetes privates Hostel am Stadtrand. Fahrradverleih. 32 Betten in 7 Schlafräumen (auch Doppelzimmer). *Pearse Road (Marymount), Tel./Fax 071/43204, edenhill@iol.ie,* €

Renaté Central House
Einfache, aber ansprechende B & B-Pension, nahe Bahnhof. *6 Zi., 9, Upper John Street, Tel. 071/62014, Fax 69093,* €

Insider Tipp

Temple House
Weiträumiger Landsitz, inmitten von großen Wiesen und Wäldern. Die Gästezimmer sind mit Antiquitäten ausgestattet. Besitzer Sandy Perceval ist biologischer Landwirt. Seine Frau Deborah serviert zum Dinner Lamm aus eigener Zucht. Angeln, Rudern, Reiten und andere Aktivitäten. *5 Zi., März–Nov., Ballymote, 20 km südlich von Sligo, Tel. 071/83329, Fax 83808, www.templehouse.ie,* €€

Ferienwohnungen und -häuser
für Galway, Mayo, Roscommon, Sligo vermittelt *Ireland West Tourism, Victoria Place, Eyre Square, Galway, Tel. 091/567673, Fax 565201, selfcatering@irelandwest.ie*

Tower Hotel
Der rote Ziegelbau mit Uhrturm und Granitportikus bietet Komfortzimmer. Gute Lage. *60 Zi., Quay Street, Tel. 071/44000, Fax 46888, www.towerhotelgroup.ie,* €€

FREIZEIT & SPORT

Sligo Bowl & Leisure Club
Computergesteuerte Bowlingbahn, Billardtische und andere Freizeit-

MARCO POLO Highlights »Der Nordwesten«

★ **Sligo County Museum**
Die Yeats-Abteilung zieht nicht nur die Fans des Lyrikers an (Seite 74)

★ **Quirke's Sculptures**
Nicht gerade billig, aber wunderschön: Feen (fairies) aus Holz (Seite 75)

★ **Carrowmore**
Megalithischer Friedhof und das Grab der Königin Maeve aus dem 1. Jh. (Seite 77)

★ **Lough Derg**
Katholisches Pilgerziel auf einer zauberhaften Insel (Seite 79)

Im Goldrausch

Der große Ansturm steht jedoch noch aus

Goldsucher entdeckten Ende der 1980er-Jahre Gold in der Grafschaft Sligo und in West Mayo. Insbesondere in einem 450 Millionen Jahre alten Felsmassiv, dem Croagh Patrick, soll für ganze 200 Millionen Pfund Gold liegen. Ausgerechnet in dem Berg, um den sich eine Legende rankt: Der heilige Patrick soll dereinst in eine Höhle am Fuß des Berges Schlangen verbannt haben, nachdem er vierzig Tage mit Beten und Fasten zugebracht hatte. Das Bergen des Goldes wird schwierig werden, weil das teure Edelmetall umständlich aus dem Berg befreit werden muss.

spiele. *Tgl. 11–23 Uhr, Ballast Quay, Tel. 071/415 15*

AM ABEND

Insider Tipp **Hargadon's Pub**

Lassen Sie sich von der unscheinbaren Fassade nicht täuschen: alte Steinfußböden, gekalkte Wände, holzeingefasste Séparées *(snugs)* – und meist glüht ein Torffeuer. »A pearl, a gem, a jewel in the crown of Mother Ireland« dichteten begeisterte Trinker über den 130 Jahre alten Pub. Folkmusik. *4/5 O'Connell Street, Tel. 071/709 33*

Hawk's Well Theatre

In dem kleinen Theater werden irische Stücke aufgeführt. *Temple Street/Charles Street, Tel. 071/615 26, www.hawkswell.com*

The Yeats Candle-Lit Supper

Dinner mit Kultur: Das Drei-Gänge-Menü (mit Wein) wird begleitet von einer dramatischen Darstellung des Lebens von W. B. Yeats. *Yeats Memorial Building, O'Connell/Wine Street, Mai–Sept. tgl. 19.45 Uhr, 30 Euro pro Person, Buchung im Touristenbüro*

AUSKUNFT

Tourist Office

Juli–Aug. Mo–Sa 9–20 Uhr, So 10–14 Uhr, Sept.–Juni Mo–Fr 9–17 Uhr, Temple Street/Charles Street, Tel. 071/612 01, Fax 603 60, www.ireland-northwest.travel.ie

ZIELE IN DER UMGEBUNG

Ballyshannon **[115 F4]**

Das 2500 Ew. zählende Ballyshannon liegt an der Flussmündung der Erne. Auf der kleinen Insel *Inis Saimer* steht heute nur noch ein hölzernes Sommerhaus, doch soll sie Legenden zufolge um 1500 v. Chr. Siedler beherbergt haben, die vor wilden Tieren Schutz suchten. Der Weg nach Ballyshannon lohnt sich insbesondere zum *Music Festival* (erstes Wochenende im August), das als besondere Veranstaltung für traditionelle Musik in Irland gilt. Bekannte Interpreten treten mit weithin unentdeckten Talenten auf.

Bundoran **[115 F4]**
Auf der N 15 nach Norden, Richtung Donegal, gelangt man, vorbei an *Drumcliffe* **[113 E4]** mit Yeats' Grab, in das Seebad Bundoran (1500 Ew.). Der beliebte Badeort hat mit seinen Sandstränden ein vielfältiges Wassersportangebot. Auch Golfer kommen auf ihre Kosten.

Carrowmore **[115 E5]**
★ In Carrowmore (4 km südwestlich von Sligo) befindet sich der zweitgrößte megalithische Friedhof Europas. Wandern Sie umher zwischen Überresten von Dolmen, Steinkreisen und mehr als 4000 Jahre alten Grabkammern, und besteigen Sie den ganz in der Nähe liegenden Berg *Knocknarea* (ausgeschilderter Fußweg *Chambered Chairn* von Sligo aus)! Das Hügelgrab auf dem Gipfel soll die Begräbnisstätte der Königin Maeve (1. Jh.) enthalten. *Sommer tgl. 10 bis 18 Uhr, Eintritt 2 Euro*

Kürzlich restauriert: Donegal Castle

Donegal **[116 A3]**
65 km nördlich von Sligo liegt Donegal (2000 Ew.) an der Mündung des Eske River in die Donegal Bay. Zentrum des Ortes ist ein großer, dreieckiger Platz, genannt *The Diamond,* an dem die drei Verkehrsadern aus Sligo, Derry und West Donegal zusammentreffen. Dort steht ein 8 m hoher Obelisk als Denkmal für vier Franziskanerpater, deren Abteiruinen (1474) südlich der Stadt an der Flussmündung zu sehen sind. Der historische Platz (um 1600 angelegt), umgeben von Geschäften und Hotels, ist Ausgangspunkt einer ausgeschilderten *walking tour* durch die Stadt, u. a. zum *Donegal Castle.* Die im 15. Jh. auf einem Hügel am Fluss von der O'Donnell-Dynastie erbaute Burg im jakobinischen Stil kann während der Saison täglich besichtigt werden *(10–18 Uhr, Eintritt 3,60 Euro).* Unterkunft und hervorragendes Restaurant im *Hyland Central Hotel am Diamond (84 Zi., Tel. 073/210 27, Fax 222 95, €€)* mit Blick auf den Platz, den Fluss und die Bucht. *Touristeninformation in der Quay Street, tgl. 10–18 Uhr, Tel. 073/211 48, Fax 227 62*

Giant's Causeway **[117 E2]**
Von Donegal aus führt die Fahrt nach Nordirland über Strabane, Londonderry und Coleraine zum Giant's Causeway an der Nordküste der Irischen Insel. Diese Hauptattraktion Nordirlands – Abertausende von Basaltsäulen am windgepeitschten Meer entlang –

lockt zahlreiche Besucher über die Grenze, die ihren Urlaub in der Republik Irland verbringen. Ausgangspunkt für eine Wanderung entlang des etwa 3 km nördlich von Bushmills gelegenen Naturgebildes ist *Portballintrae.* Im *Visitor's Centre (tgl. 10.30–18 Uhr)* zeigt ein Film die Geschichte des Giant's Causeway, in einer Ausstellung werden Flora und Fauna der Gegend sowie die geologischen Gegebenheiten erläutert.

Über die Entstehung der Basaltsäulen existieren zahlreiche Mythen. Die schönste Geschichte: Es war einmal ein Riese namens Finn MacCool. Der verliebte sich unsterblich in ein schönes junges Mädchen, das auf einer einsamen Insel der Hebriden lebte. Um trockenen Fußes zu seiner Angebeteten zu gelangen, schuf der Riese Finn den steinernen Pfad. Wissenschaftler sind der Auffassung, der Giant's Causeway sei vor über 60 Mio. Jahren entstanden, als durch die Erdkruste brechende Lava erstarrte. Über 40 000 sechseckige Basaltsäulen, die aus vielen kleinen Stücken zusammengesetzt sind, ragen aus dem Meer.

Vom Visitor's Centre läuft man auf einem geteerten Weg in etwa 15 Minuten zur Küste. Bevor es rechter Hand zum Causeway weitergeht, sollte man in der Portnaboe-Bucht den aus dem Wasser ragenden *Camel Rock* beachten. Ein kleines Stückchen weiter sind unterschiedliche Felsgebilde zu sehen, die Namen tragen. So lässt z. B. der *Wishing Chair* die Form eines steinernen Stuhls erkennen. Bei der *Orgel des Riesen* ragen die Basaltsäulen nahezu 15 m senkrecht in den Himmel. Von hier aus führen die Stufen des Hirtenpfades *(Shepherd's Path)* auf die Klippen des Berges *Aird Snout.* Wundervolle Ausblicke eröffnen sich.

Das nahe gelegene *Bushmills* ist einen Abstecher wert. Die Whiskeydestillerie ist die älteste der Welt. *Mo–Fr vormittags, im Sommer auch Sa, Tel. 02657/31521*

Glencolumbkille [115 E3]

Die Fahrt geht durch eine einsame, gebirgige Gegend in das am Ende eines Tales gelegene kleine Dorf Glencolumbkille. Es kann sich rühmen, eines der besten Folk-Village-Museen des Landes zu besitzen; Insider Tip

Basaltsäulen am Giant's Causeway – Zeugen prähistorischer Eruptionen

stündliche Touren durch drei originalgetreu eingerichtete Cottages aus der Zeit von 1700 bis 1900. Eine Schule, ein Pub (mit Verkauf von Honig und Fuchsienwein), ein Kunsthandwerksgeschäft sowie ein Teehaus vervollständigen das historische Dorf *(56 km westlich von Donegal, Ostern–Okt. Mo–Sa 10–18 Uhr, So 12–18 Uhr, Eintritt 4 Euro)*. Auf dem Rückweg lohnt sich ein kleiner Abstecher zur 600 m hohen *Slieve League,* der höchsten Klippe Europas.

Lough Derg **[116 A4]**
★ Südöstlich von Donegal liegen mehrere kleine Seen, von denen der Lough Derg der größte ist. Die felsige Insel *Station Island* inmitten des Sees ist ein in ganz Europa bekanntes Pilgerziel. Der Sage nach soll St. Patrick auch hier vierzig Tage lang betend und fastend zugebracht haben. Während der Pilgerzeit von Juni bis August darf die Insel nur von Gläubigen betreten werden. Diese bleiben drei Tage und drei Nächte und ernähren sich in dieser Zeit ausschließlich von schwarzem Tee und Toast.

Lough Gill **[115 E5]**
Eine Autotour führt von Sligo etwa 35 km um den Lough Gill, einen südöstlich der Stadt gelegenen malerischen See, der von bewaldeten Bergen umrahmt wird. Man verlässt Sligo auf der Straße N 16 und biegt dann rechts auf die R 286, den Schildern *Hazelwood Estate* folgend. Das 1731 errichtete Landhaus ist eines der wenigen georgianischen Gebäude der Grafschaft. Auf einer Nebenstraße gelangt man zur *Half Moon Bay* (Picknickplatz). Spazierwege am See und durch die angrenzenden Wälder laden zu einer Autopause ein. Wieder zurück auf der R 286 erreicht man *Parke's Castle,* ein romantisch aussehendes Fort aus dem 17. Jh. *(Juni–Sept. 10 bis 17 Uhr)*. Der nächste Stopp ist dann *Creevylea Abbey;* am Eingang zum Dorf Dromahair führt ein Pfad zu dem Franziskanerkloster aus dem Jahre 1508. Der dann folgende Weg führt vom See weg und erreicht erst beim *Dooney Rock Forest* wieder das Gewässer, auf dem viele Schwäne heimisch sind. Eine Informationsbroschüre über den sehr schönen *nature trail* entlang des Seeufers ist dort am Parkplatz erhältlich.

Rosses Point **[115 E5]**
Die etwa 7 km nordwestlich von Sligo liegende Siedlung beeindruckt mit ihrem *County Sligo Golf Club (Tel. 071/771 34, cosligo@iol.ie),* einem der schönsten Plätze im Golferland Irland. Sommerliche 0Sonnenanbeter schwören auf die langen Sandstrände und verschwiegenen Strandbars.

Strandhill **[115 E5]**
Am Fuße des Berges liegt an der Küste das kleine, bei den Iren als Feriendomizil beliebte Dorf. Man trifft sich in den Dünen, veranstaltet Picknicks und badet im Meer. Nicht immer ist das Schwimmen ungefährlich: Man sollte daher auf Strandwärter und entsprechende Flaggen achten. Bei Strandhill liegt auch der Flughafen von Sligo. Neben täglichen Flügen nach Dublin werden hier Erkundungsflüge mit kleinen Sportmaschinen über die Küste, den Knocknarea-Berg und Sligo angeboten.

Eine Wiege des Christentums

Ruinen erinnern an die ehemals bedeutenden Klöster

Die Grafschaften Longford, Leitrim, Meath, Cavan, Laois, Westmeath, Monaghan, Roscommon und Offaly liegen zwischen Dublin und Galway, der Ost- und der Westküste Irlands. Südlich davon erstrecken sich Tipperary, Kilkenny und Carlow. Die bei ausländischen Urlaubern größtenteils unbekannten Grafschaften sind mit größeren und kleineren Seen gesegnet. Es ist eine undramatische Landschaft mit sanften Hügeln, weiten Ebenen und kleinen Dörfern und einigen historischen Sehenswürdigkeiten. Wer einen beschaulichen Urlaub verleben, viel angeln und wenig Touristen sehen möchte, ist hier genau richtig.

KILKENNY

[126 A3] Kilkenny (15 000 Ew.) rühmt sich, die am besten erhaltene mittelalterliche Stadt Irlands zu sein. Dank umsichtiger Pflege der Architektur und des Stadtbildes konnte Kilkennys geschichtliche Erbschaft erhalten bleiben. Leihen Sie sich einmal ein Fahrrad, und erkunden Sie die kleinen, gewundenen Gassen, die Gegend am Fluss Nore sowie das idyllische Umland.

Die Trutzburg Cahir Castle liegt auf einer Felseninsel im Fluss Suir. Sie zählt 800 Jahre

SEHENSWERTES

Black Abbey Church

Von Kilkennys Kirchen ist insbesondere die »Schwarze Abtei«, eine Dominikanerkirche, die um 1225 gegründet wurde, sehenswert. Sorgfältig restaurierte Kirche. *Tgl. 9–19 Uhr, Abbey Street*

Kilkenny Castle

★ Trotz zahlreicher Veränderungen konnte sich das Castle sein Aussehen einer mittelalterlichen Festung über die Jahrhunderte bewahren. Beachtenswert sind die wertvollen Ölgemälde in der Galerie. *April–Mai tgl. 10.30–17 Uhr, Juni–Sept. 10–19 Uhr, Eintritt 4,20 Euro, Castle Street*

Shee Almshouse

Das im Jahre 1582 von Sir Richard Shee erbaute Tudorhaus beherbergt das *Tourist Information Centre.* Dort kann man sich die historische Ausstellung *Cityscope* ansehen. *Mo–Sa 9–13 und 14–18 Uhr, Rose Inn Street*

St. Canice's Cathedral
Die Kirche (13. Jh.) beherbergt in ihrem Inneren einige sehr interessante Grabmäler aus dem 16. Jh. mit Reliefs aus schwarzem Marmor. Ein 30 m hoher Rundturm neben der Kirche ist das einzig erhaltene Bauwerk einer frühen Klostersiedlung. *Tgl. 9–13 und 14–18 Uhr, Eintritt 1,20 Euro, Church Lane*

MUSEUM

Rothe House
Kilkennys Museum ist untergebracht in drei hintereinander liegenden Bürgerhäusern im Tudorstil. Allein das Gebäude (1575) ist einen Besuch wert. *April–Okt Mo–Sa 10.30–17, So 15–17 Uhr, Winter nur Sa/So, Eintritt 2,40 Euro, Parliament Street*

ESSEN & TRINKEN

Kilkenny Shop Restaurant
Coffeeshop in historischer Umgebung gegenüber dem Kilkenny Castle, der leckere Snacks zu bieten hat. *Tgl. 10–17 Uhr, Castle Yard, Tel. 056/221 18,* €

Kyteler's Inn
Das aus dem 14. Jh. stammende Restaurant ist ein »Muss«. Hier soll einst die Dame Alice Kyteler gelebt haben, die der Hexerei angeklagt wurde. Alice machte sich aus dem Staub, und statt ihrer wurde eine alte Dienerin beschuldigt. Schöner Innenhof mit zwei Brunnen. *Tgl. ab mittags, Kieran Street, Tel. 056/210 64,* €€

Lacken House
Bürgerliche irische Küche, sehr empfehlenswert, auch 8 Gästezimmer. *Dublin Road, Tel. 056/610 85, Fax 624 35,* €€

Pordylo's
Das Natursteingebäude stammt aus dem 16. Jh. Spezialitäten: Fisch, Schaltiere, Wildgerichte. *Butterslip Lane, High Street, Tel. 056/70660,* €€

Ristorante Rinuccini
Ein irisch-italienisches Paar verbindet die elegante mit der rustikalen Küche – unübertrefflich. *1, The Parade (gegenüber dem Castle), Tel. 056/615 75,* €

EINKAUFEN

Kilkenny Design Centre
★ Die Künstler, die in den ehemaligen Stallungen des Kilkenny Castle ihren Workshop betreiben, experimentieren mit neuem Design bei Keramik, Gold und Silber, Glas, Holz und Wolle. *Castle Yard, Castle Road, Mo–Sa 9–18, So ab 10 Uhr, www.kilkennydesign.com*

ÜBERNACHTEN

Hotel Kilkenny
Das stilvolle Rosehill House (1830) kann auf ein festes Stammpublikum zählen. *80 Zi., College Road, Tel. 056/620 00, Fax 659 84, www.griffingroup.ie,* €€€

The Kilford Hotel
Das Hotel beherbergt drei Pubs und eine Disko, dazu ein recht gutes Restaurant. *30 Zi., John Street, Tel. 056/219 69, Fax 610 18,* €€

Kilkenny Tourist Hostel
Kleine Zimmer in einem georgianischen Stadthaus. *11 Zi. mit 60 Bet-*

MARCO POLO Highlights »Midlands«

★ **Kilkenny Castle**
Wundervoll erhalten und mächtig (Seite 81)

★ **Kilkenny Design Centre**
Vorreiter irischen Kunsthandwerkdesigns (Seite 82)

★ **Rock of Cashel**
Hochplateau mit berühmter Kathedrale (Seite 84)

★ **Carrick-on-Suir**
Wunderschönes Ensemble: ein lieblicher Fluss, die Ruine einer alten Burg und eine mittelalterliche Brücke (Seite 84)

★ **Dunmore Cave**
Tropfsteinhöhle, die schon zu Wikingerzeiten als Schutzraum diente (Seite 85)

ten, 35, Parliament Street, Tel. 056/635 41, Fax 233 97, kilkenny hostel@eircom.net, €

AM ABEND

Edward Langton Bar & Restaurant
Stilvolle und rustikale Atmosphäre, oft als »Pub des Jahres« ausgezeichnet. *69, John Street*

The Kilford Arms
Von Freitag bis Sonntag abends Livemusik, anschließend Disko bis 2 Uhr. *John Street*

AUSKUNFT

Tourist Office
Feb.–Nov. tgl. 9–18 Uhr, Rose Inn Street, Tel. 056/515 00, Fax 639 55

ZIELE IN DER UMGEBUNG

Birr **[119 F5]**
70 km nordwestlich von Kilkenny liegt die Kleinstadt Birr (5000 Ew.), die nicht nur großartige Gärten wie die *Millenium Gardens* (des Grafen von Rosse), die größten des Landes, sondern vor allem das Schloss mit seinem historischen Teleskop bietet. Der dritte Graf von Rosse baute ab 1840 das 70 Jahre lang größte Teleskop der Welt, immer noch funktionsfähig. Sein Sohn konnte damit die Temperatur des Mondes (korrekt) bestimmen *(Birr Castle Demesne, www.birrcastle.com, tgl. 9–18 Uhr, Eintritt 5 Euro)*.

Insider Tipp

Übernachten kann man in *Spinners Town House, Castle Street, Birr, Tel./Fax 0509/21673, €*. Es besteht aus fünf georgianischen Stadthäusern mit 10 Zimmern (vom Doppelzimmer mit Bad bis zum Familienraum mit sieben Betten). Garten im Innenhof.

Cahir **[124 C3]**
Die im hübschen Dorf Cahir auf einer kleinen Felsinsel im Fluss Suir liegende Trutzburg *Cahir Castle* wurde im im 13. Jh. errichtet und bis zum 19. Jh. mehrfach erweitert und umgebaut. Unter den Herzögen von Ormond entwickelte sich

die uneinnehmbare Festung zu einer der mächtigsten des Landes *(tgl. 9.30–17.30 Uhr, Eintritt 2,40 Euro)*. Übernachtung im *Cahir House Hotel (14 Zi., The Square, Tel./Fax 052/42727, cahir househotel@eircom.net, €€)*.

3 km südöstlich des Ortes liegt auf einem Hügel in Kilcommon das viel besuchte *Swiss Cottage*, ein prächtiges, zweistöckiges, strohgedecktes Holzhaus mit perfekten Gauben vom Beginn des 19. Jhs. *Di–So 10–13 u. 14–17 Uhr, im Sommer auch Mo, Eintritt 2,40 Euro, Zufahrt über Cahir Wood und Ardfinnan Road, R670*

Carrick-on-Suir **[125 E4]**

★ Sehenswert in dem Städtchen (5500 Ew.) ist *Ormond Castle*, ein burgähnliches elisabethanisches Herrenhaus (1560), das neben zwei bewohnbaren Wehrtürmen aus dem 15. Jh. liegt. *(Juni–Sept. tgl. 10–18 Uhr, Eintritt 2,40 Euro)*. Auch die mittelalterliche Steinbrücke über den Fluss Suir ist einen Besuch wert. Das *Heritage Centre* der Stadt befindet sich in einer ehemaligen protestantischen Kirche an der Main Street und enthält den antiken Grabstein von Thomas Butler (gest. 1604), Sohn des 10. Grafen von Ormonde, sowie zahlreiche lokale Fundstücke und historische Fotos. Beachtenswert ist das Kirchensilber des Herzogs von Ormonde aus dem 17. Jh. *(Mo–Fr 10–17 Uhr, Sommer auch Sa, Eintritt 1,80 Euro)*.

Cashel **[125 D3]**

Die größte Sehenswürdigkeit des Städtchens (3000 Ew.), ca. 50 km südwestlich von Kilkenny an der N 8, ist der mächtige ★ *Rock of Cashel*. Bereits die Kelten verehrten den Felsen, und im 5. Jh. errichtete der König von Munster ein Steinfort. 1101 wurde der Berg der Kirche zum Geschenk gemacht, die eine Kathedrale (13. Jh.), eine Kapelle und einen Rundturm erbauen ließ. Der Legende nach soll St. Patrick am Cashel Rock ein Kleeblatt gepflückt und daran die Dreieinigkeit erklärt haben – die Geburtsstunde des irischen Emblems. *März–Sept. tgl. 9–19 Uhr, Okt.–Feb. 10–17 Uhr, Eintritt 3,60 Euro.*

Das *Cashel Folk Village* im Zentrum besteht aus mehreren Nachbauten traditioneller strohgedeckter Dorfläden und einer kleinen Kapelle und wird ergänzt von zahlreichen archäologischen Funden *(Dominic Street, tgl. 10–18 Uhr, Eintritt 2,40 Euro)*.

Das *Cashel Heritage Centre* widmet sich dem geistigen Erbe der Region und illustriert die Zeit bis zum hl. Patrick. Ein Modell zeigt die Ortschaft im Jahr 1640. *(City Hall, tgl. 9.30–18 Uhr, Eintritt 1,20 Euro)*. Ein Bus (Cashel Heritage Tram) fährt zu den Sehenswürdigkeiten *(Juni–Sept. tgl. 11–18 Uhr, 3,60 Euro inkl. Eintritt zum Heritage Centre)*.

Clonmacnoise **[119 F4]**

Die im Jahre 548 von dem heiligen Ciaran gegründete Klostersiedlung am Shannon (in der Grafschaft Offaly) fiel 1000 Jahre später den Engländern zum Opfer und erholte sich nie wieder. Zwei mächtige Wehrtürme machen auf die archäologische Stätte aufmerksam, auf deren Friedhof mehrere Hochkreuze erhalten sind *(Shannonbridge, tgl. 10–18 Uhr, Eintritt 4,20 Euro)*.

Clonmel **[125 D3]**
50 km südwestlich von Kilkenny liegt Clonmel, eine reizvolle Kleinstadt (17 000 Ew.), die sich auch für eine Übernachtung anbietet. Man besucht das *Tipperary County Museum (Parnell Street, Di–Sa 10–13 u. 14–17 Uhr, Eintritt frei)*, das mit wechselnden Ausstellungen die Geschichte der Grafschaft bis zurück in prähistorische Zeit dokumentiert, sowie die alte Abtei *(friary)*.

Dunmore Cave **[125 F2]**
★ Nur 12 km sind es in nördlicher Richtung *(Castlecomer)* auf der N 78 von Kilkenny zu der gewaltigen Tropfsteinhöhle, deren zahlreiche Kammern schon bei den Wikingerangriffen Schutz und Unterschlupf boten. *Im Sommer tgl. 10–19 Uhr, Eintritt 3 Euro, bei Redaktionsschluss noch wegen Restaurierung geschl., Auskunft: Tel. 01/647 24 57*

Jerpoint Abbey **[125 F3]**
25 km südlich von Kilkenny steht ein ehemaliges Kloster der Zisterzienser, dessen Gründung im 12. Jh. erfolgte. Das ganz aus Naturstein errichtete Bauwerk besitzt einen von Zinnen gekrönten, rechteckigen Wehrturm (14. Jh.). *Tgl. 9.30–18 Uhr, Eintritt 2,40 Euro, Thomastown*

Knockcroghery **[119 F3]**
Fährt man auf der N61 von Athlone in nordwestlicher Richtung, dann erreicht man kurz vor Roscommon ein Städtchen, das 1921 während des Unabhängigkeitskampfes niedergebrannt wurde, darunter auch die lokale Tonpfeifenmanufaktur, die seit 1690 ganz Irland beliefert hatte. Das Handwerk wurde neu

Bootstour auf dem Shannon River

belebt, an der Hauptstraße lädt das rote *Claypipe Visitor Centre* zu einem Besuch. Früher stellte man 50 000 Stück der *duidin* pro Woche her, heute sind es 40 pro Tag.

Shannon River **[118–119]**
Der größte Fluss des Landes (etwa 400 km lang) bildet zwischen seiner Quelle Lough Allen in der Grafschaft Leitrim und der Stadt Limerick zahlreiche große Seen, die als Natur- und Wassersportparadiese gelten. Beliebt sind Touren mit Haus- oder Kajütbooten auf dem Fluss, seinen Seen und dem nach Dublin abzweigenden Grand Canal.

Slieve Bloom Mountains **[120 A6]**
Ideale Gegend für leichte Wanderungen in unberührter Natur. Der *Ard Erin* **[123 E1]** misst nur 609 m. Der *Slieve-Bloom-Way* führt über 30 km durch Wälder und an Mooren entlang. Guter Ausgangspunkt ist *Glen Barrow*, südwestlich von Rosenallis. Hier gründeten Quäker im 17. Jh. eine Kolonie. Übernachten lässt es sich im *Roundwood House* bei Mountrath, einer stilvollen B & B-Pension, *10 Zi., Tel. 0502/321 20, Fax 327 11, www.hidden-ireland.com/roundwood*, €€.

Einsame Küsten, wilde Pfade und beschauliche Flüsse

Die Touren sind in der Karte auf dem hinteren Umschlag und im Reiseatlas ab Seite 114 grün markiert

1 AUF DEM DINGLE WAY ZWISCHEN TRALEE UND DER DINGLE-BUCHT

Die nördlichste der fünf Halbinseln, die im Südwesten Irlands in den Atlantik ragen, ist Dingle. Nahezu über die gesamte Halbinsel führt der 150 km lange Wanderweg Dingle Way. Besonders schön ist die 70 km lange Teilstrecke zwischen Tralee und Dingle, für die Sie drei Tage einplanen sollten.

Seitdem Regisseur David Lean »Ryan's Daughter« an den weißen Sandstränden der Dingle Bay entlang schlendern ließ und die Träumerei noch um eine Galoppsequenz erweiterte, garniert mit mitreißender Filmmusik, reisen zahlreiche Besucher an die Drehorte des Films. Die Wanderung führt Sie über Bergpfade und durch farnbewachsene Täler, entlang klarer Bäche, und immer wieder ergeben sich Ausblicke über die Tralee Bay und die Dingle Bay. Starten Sie von Tralee aus zum südwestlich gelegenen *Blennerville,* das Sie auch mit der historischen Dampfeisenbahn (3 km Schmalspur) erreichen können. Insider Tipp Die alten Schleusentore am Hafen sollten Sie nicht verpassen. Hier bestiegen im 19. Jh. viele Iren das Schiff nach Amerika. Eine noch größere Touristenattraktion ist die 200 Jahre alte Windmühle von Blennerville, hervorragend restauriert und noch heute funktionstüchtig – die größte in Irland und Großbritannien. Gruppiert um die Mühle sind ein Ausstellungszentrum sowie Kunstgewerbeläden und ein Restaurant. Auf der alten Landstraße nach Dingle, vorbei an den Ruinen des verlassenen Dorfes *Killelton,* bewachsen mit Efeu und Fuchsien, und den Überresten des St.-Elton-Oratoriums befinden Sie sich auf dem historisch interessanten Wegabschnitt. Die Überreste des frühchristlichen Gebetshauses stammen aus dem 7. Jh. und sind damit älter als das bekannte Gallarus-Orato-

Einsam gelegene Gehöfte gibt es auf der Dingle-Halbinsel häufig

rium. Nach 20 km ist die erste Tagesetappe im Dorf *Camp* geschafft, wo es sich auch übernachten lässt *(Barnagh Bridge County Guesthouse, Camp, 5 Zi., Tel. 066/713 01 45, Fax 713 02 99, mwarch@iol.ie, €)*. Einkehr bietet sich bei *Ashe's* auf ein *pint* Guinness an.

Am nächsten Morgen geht es weiter über die Dingle-Halbinsel in südwestlicher Richtung. Sie kommen vorbei an ausgedehnten Moorebenen, in denen immer noch Torf gestochen wird. Gen Süden ergeben sich auf dem letzten Tagesabschnitt herrliche Panoramablicke zur Dingle Bay. An klaren Tagen kann man die Berge der benachbarten Iveragh-Halbinsel erblicken. Schließlich erreichen Sie nach etwa 25 km das Städtchen *Annascaul.* Über ein Dutzend Pubs bieten Geselligkeit am Abend. Anschließend bietet sich die Übernachtung im *Anchor House (10 Zi., Tel./Fax 066/915 73 82, www.dingle-peninsula.ie/annascaul, €)* an.

Der dritte Tag führt nach Dingle. Doch bevor Sie dort ankommen, genießen Sie den Blick auf das historische *Minard Castle,* das in romantischer Lage über der kleinen Kilmurry Bay thront. Über die alte O'Connor-Pass-Straße ist schließlich das lebhafte *Dingle* *(S. 55)* mit seinem kleinen Hafen erreicht.

Wer auf den Geschmack gekommen ist: Der Dingle Way führt weiter in westlicher Richtung um *Slea Head,* eine raue und einsame Gegend voller altgälischer Relikte: Steinkreuze, Ringforts und Ruinen frühchristlicher Gebetshäuser fin-

Halbinsel Dingle – berühmt geworden durch den Film »Ryans Tochter«

den sich überall. In nördlicher Richtung geht es weiter nach *Dunquin* und zurück entlang der Nordküste der Halbinsel, vorbei an herrlichen Sandstränden und unterhalb des Brendan-Bergmassivs.

Informationsmaterial und Karten über den Dingle Way (mit Übernachtungsadressen) hält die Touristeninformation in Tralee bereit *(Ashe Memorial Hall, Denny St., Tel. 066/712 12 88, Fax 712 42 67)*.

2 MIT DEM KABINENKREUZER AUF DEM GRAND CANAL

Der Grand Canal führt von Dublin über Robertstown und Tullamore nach Shannon Harbour am Shannon (125 km). Diese Route folgt ihm von Tullamore östlich bis Robertstown (20 km), dort führt ein Zweig des Grand Canal südlich nach Athy und trifft den River Barrow, den Sie bis St. Mullins (110 km) befahren können. Dauer der Tour (hin und zurück): mindestens 1 Woche

Der Grand Canal war im 19. Jh. ein beliebter Reiseweg für bis zu 100 000 Passagiere jährlich, die von Dublin zum Shannon vier Tage benötigten, denn die Boote wurden von Pferden (im Schritt) gezogen. Transportiert wurden Whiskey und Guinness ebenso wie Kartoffeln und Torf. 1960 wurde der Betrieb mit Lastkähnen eingestellt. Die typischen *Narrow Boats* (schmaler als auf dem Shannon) können in Tullamore gemietet werden *(Celtic Canal Cruisers, Cappincur, Tel. 0506/218 61, Fax 512 66)*. Ein Boot mit vier Betten kostet im Juli/August um 750 Euro wöchentlich, sonst ab 500 Euro. Einen Bootsschein brauchen Sie nicht. Bevor es losgeht, werden Sie 30 Minuten in das Führen der Boote eingewiesen.

Während der Fahrt schippert man langsam durch sauberes Wasser und stille Natur. Fern von Straßenlärm erspäht man Wasservögel, von reichlich Grün bewachsene Steinbrücken, historische Schleusen und alte Dörfer, in denen Pubs zum Verweilen einladen.

In der Whiskeystadt *Tullamore* (County Offaly) können Sie sich für die Reise versorgen. Das Zentrum des fast viktorianisch anmutenden Städtchens ist eine breite, platzartige Straße mit Geschäften und Pubs. In *Robertstown*, dem nächsten Etappenziel, ist das alte Kanalhotel (Insider Tipp) teilweise restauriert worden und bietet abends Bankette, auch für einheimische Besucher. Südlich der Stadt führt ein Zweig des Kanals nach Süden zunächst nach *Rathangan*, einem Städtchen aus dem 19. Jh., dessen Gewässer gerühmt werden für ihren reichen Fischbestand. *Monasterevin* mit seiner historischen Ziehbrücke war 150 Jahre lang eine Whiskeydestillerie, die Ruinen sieht man vom Kanal aus. In der mittelalterlichen Marktstadt *Athy* mündet der Kanal in den River Barrow. Jetzt geht es flussabwärts, und auf der 65 km langen Strecke bis St. Mullins sind 23 Schleusen zu bewältigen. *Carlow* ist die Hauptstadt der gleichnamigen Grafschaft; Sie fahren unter einer 400 Jahre alten Brücke hindurch und sehen die Ruine einer normannischen Burg am Ostufer. Über *Muine Bheag* führt der Fluss nun nach *Graiguenamanagh* mit der *Duiske Abbey* aus dem Jahre 1207, ein restauriertes Zisterzienserkloster. Die Fahrt endet 1 km vor *St. Mullins* an einer Schleuse, denn der weitere Flusslauf bis zur Mündung hinter New Ross unterliegt starken Gezeitenschwankungen und ist daher für die leichten Kanalboote nicht geeignet. St. Mullins ist der älteste Ort, den Sie auf dieser Bootsfahrt kennenlernen. Schon im 7. Jh. stand hier ein Kloster. Wer sein Boot nur für eine Woche gemietet hat, muss jetzt umkehren, um es rechtzeitig zurückzugeben, denn die Boote fahren etwa 5 km/h, und bis Tullamore sind es immerhin 130 km, mehr als die Hälfte davon flussaufwärts.

3 HISTORISCHE STÄDTE IM SÜDEN

Von Cork führt die N22 in westlicher Richtung über Macroom und durch die Derrynasaggart Mountains nach Killarney, dann weiter nach Tralee. Von dort erreichen Sie über die N21 in nordöstlicher Richtung Limerick. Südöstlich führt die Strecke weiter nach Tipperary, Cahir, Clonmel und Carrick-on-Suir. Über Youghal kehren Sie nach Cork zurück. In erster Linie sind es Schlösser, Herrenhäuser, Klöster, Kirchen, Burgen und andere historische Bauwerke, die zu dieser Reise verführen. Aber auch malerische Flüsse und grüne Gebirge machen den Reiz dieser Route aus. Die insgesamt etwa 450 km lange Strecke führt durch herrliche Landschaften und Städtchen, sodass Sie mindestens vier Tage einplanen sollten.

Von *Cork (S. 43 ff.)*, dem Ausgangspunkt, gelangen Sie in das ruhige, am Lee gelegene Marktstädtchen *Macroom*. Vorbei an weiteren kleinen Dörfern, die oft nur aus wenigen Häusern bestehen, windet sich die Straße durch die *Derrynasaggart Mountains* nach *Killarney (S. 53 ff.)* – für die meisten Reisenden Endpunkt der heutigen Etappe. In *Tralee*, der größten Stadt der Grafschaft Kerry, lohnt sich ein abendlicher Besuch im *Siamsa Tire Theatre*, dem bekanntesten Volkstheater der Insel mit Tanz, Musik und viel Gesang. Während der letzten Augustwoche verwandelt sich Tralee in ein einziges Openairfestival. Das schönste aller irischen Mädchen wird zur »Rose of Tralee« gewählt, in den Straßen wird gefeiert, musiziert und auf Pferde gewettet. Der Bierkonsum erreicht seinen Jahreshöchstwert. Sollte daher in den Hotels kein freies Bett mehr zu haben sein, fahren Sie besser weiter nach *Limerick (S. 58ff.)* oder *Tipperary*. Eine Besichtigung des *Cahir Castle*, nationales Monument und größte mittelalterliche Festung des Landes, lohnt sich. Eine sehenswerte audiovisuelle Show macht mit dem Leben der früheren Burgbewohner vertraut.

Schon Fürst Pückler, der zu Anfang des 19. Jhs. Irland bereiste, riet in seinen Berichten zu einer Wanderung entlang des Flusses Suir. An dessen Ufer liegt die Kleinstadt *Clonmel (S. 85)*, die mit ihrer Windhundrennbahn und den zahlreichen Pubs irischen Charme verbreitet. Naturliebhaber unternehmen von hier aus einen Abstecher nach *Lismore* und zum Tal *The Vee*. Die Straße führt zunächst über den Fluss und verläuft dann in südlicher Richtung. Auf dem

Lustig geht es im Siamsa Tire Theatre in Tralee zu

Weg nach Dungarvan biegen Sie nach rechts ab auf eine »Scenic Route« nach Newcastle, Capoquin und schließlich Lismore. Das hübsche Städtchen wird dominiert vom *Lismore Castle,* dessen herrliche Parkanlage für die Öffentlichkeit zugänglich ist.

Weiter geht es auf überwiegend kurviger Strecke, zunächst über ein Hochmoor, durch eine romantische Gegend: rauschende Bäche und Wasserfälle, Moor und Moos, dazwischen ein paar einsame Schafe. Knorrige alte Bäume hängen dicht über den schmalen Straßen, auf denen nur selten Autofahrer entgegenkommen. Unterwegs laden altmodische Pubs zu einer Pause ein. Über zahlreiche alte Steinbrücken, vorbei an verlassenen Bruchsteincottages und einsam gelegenen Bauernhöfen, erreichen Sie schließlich wieder *Clonmel.* Dort bietet sich die Übernachtung in einer historischen Kutschenstation aus dem frühen 19. Jh., genannt *Hearn's Hotel,* an *(25 Zi., Parnell Street, Tel. 052/216 11, Fax 211 35,* **€€***).* Das Mittelklassehaus ist stilvoller Treffpunkt der Stadt und bietet auch Abendunterhaltung. Nach einem deftigen *Full Irish Breakfast* machen Sie sich auf nach *Carrick-on-Suir (S. 84),* wo Sie an schönen Tagen in den Gärten des elisabethanischen Herrenhauses *Ormond Castle (S. 84),* sehr schön am Fluss gelegen, ein Picknick machen können. Das 1573 vom Grafen von Ormond anlässlich eines Besuchs von Queen Elizabeth I. gebaute *Mansion* ist verbunden mit einem älteren Castle, möglicherweise Geburtsstätte von Anne Boleyn, kann aber nicht besichtigt werden. Über *Youghal (S. 53)* ist schließlich der Endpunkt der Rundreise erreicht: Cork.

Angeln, Reiten, Golfen und Co.

Aktiv und sportlich ist man in Irland zu Wasser und zu Lande. Auch passive Sportarten wie das Windhundrennen haben hier Tradition

Golfen, Reiten und Angeln – in Irland sind Landleben und *country sports* seit jeher untrennbar miteinander verbunden. Heutzutage gesellen sich Trendsportarten wie Drachenfliegen und Tauchen dazu.

ANGELN

4000 Seen, 14 000 km Flüsse und 3200 km Küstenlinie – kein Wunder, dass man kaum einen Iren findet, der nicht angelt. Lachse gibt es in den Atlantikflüssen, Forellen in fast jedem Bach oder See *(game angling)*. Das Angeln von Hecht, Aal und anderen Fischen heißt *coarse angling*. Eine Lizenz besorgt man sich in einem der vielen Angelgeschäfte. In den Häfen von Galway, Kinsale, Valentia Island und Youghal werden auch Törns zum Hochseeangeln *(deep sea fishing)* angeboten. Auskunft: *Central Fisheries Board, Angling Division, Balnagowan House, Glasnevin, Dublin 7, Tel. 01/8379206, info@cfb.ie*. Infos auch unter *www.angling.travel.ie*

Für das Angeln in Irlands Binnengewässern benötigt man eine Lizenz

BERGWANDERN

Bergsteigen *(mountaineering* oder *mountain climbing)* ist in Irland weniger verbreitet als Bergwandern *(mountain walking)*, schon deshalb, weil die entsprechenden Berghänge seltener sind, denn die höchsten irischen Berge liegen um 1000 m. Besonders schön ist das Bergwandern in den Grafschaften Wicklow (Glendalough), Donegal (Glencolumbkille), Clare (Doolin) Galway (Connemara, Twelve Pins) und Kerry (Gap of Dunloe). Restaurants und Berghütten gibt es unterwegs nicht, aber selbst im kleinsten Weiler einen Pub. Auskunft: *Mountaineering Council of Ireland, House of Sport, Long Mile Road, Walkinstown, Dublin 12, Tel. 01/ 4507376, Fax 4502805, mci@eircom.net*

DRACHENFLIEGEN

Hang gliding heißt der Sport in Irland, und den Drachen, den Kinder fliegen lassen, nennt man *kite*. Die sanften Berghügel, unbebaute Moorflächen und die beständige Atlantikbrise sind beste Voraussetzungen, um einmal in die Luft zu gehen. Beliebt sind die Grafschaften Donegal, Wicklow, Carlow, Cork, Kerry, Tipperary und Galway. Vor dem Start erkundigt man sich nach den entsprechenden Vorschriften bei der *Irish Hang Gliding Association, House of Sport, Long Mile Road, Walkinstown, Dublin 12, Tel. 01/450 98 45, Fax 450 28 05, www.skydive.ie*

GOLF

Irland besitzt mehr als 450 Golfplätze – Golfen ist hier Volkssport. Die *greenfees* sind niedriger als auf dem Kontinent. Einen Golfführer und eine Liste von Reiseveranstaltern mit Golfprogramm gibt es beim Irischen Fremdenverkehrsamt und auch unter *www.golf.travel.ie*. Eine verkleinerte Golfversion (Fairways mit 50–70 m), das *pitch and putt*, findet man in fast jedem Dorf. Unerlässlich für Golfer: »Golf in Irland«, Jahr-Verlag, Hamburg 2000

KABINENKREUZER

Kreuzfahrten auf dem River Shannon mit seinen Seen und den Kanälen Irlands (insgesamt 750 km) werden von vielen Reiseveranstaltern angeboten. Es gibt Motoryachten mit zwei Decks, 8–12 m lang und 3–4 m breit (für Seen und Flüsse), und *barges* oder *narrowboats*, 2–3 m breit und 10–13 m lang (für Kanäle). Ein Führerschein ist nicht erforderlich, vor der Reise wird man gründlich in das Führen des Bootes (zwei bis acht Betten plus Toilette, Dusche, Küche) eingewiesen. Ein Boot mit vier Schlafplätzen kostet in der Hochsaison rund 600 bis 850 Euro pro Woche. 20 Vermieter gibt es in Irland, mehrere in Athlone, z. B. *Athlone Cruisers, Jolly Mariner Marina, Coosan, Tel. 0902/72892, Fax 74386, www.iol.ie/wmeathtc/acl*

KANUWANDERN

Die vielen Seen, Flüsse und Kanäle fordern das Canoeing fast heraus, selbst Wildwasserfahrten sind möglich. Die am besten geeigneten Flüsse sind Liffey, Barrow, Shannon und Suir. Auskunft: *Irish Canoe Union, House of Sport, Long Mile Road, Walkinstown, Dublin 12, Tel. 01/4509838, Fax 4604795, www.irishcanoeunion.com*

PFERDEWAGEN

Horse Drawn Caravans heißen die gummibereiften, tonnenförmigen Wagen mit Platz bis zu vier Personen, von einem Pferd gezogen. In Kerry wendet man sich an *Slattery's Horse Drawn Caravans, 1 Russell Street, Tralee, Co. Kerry, Tel. 066/24088, Fax 25981*. Über Anbieter in den Grafschaften Galway, Mayo und Wicklow informiert das Irische Fremdenverkehrsamt. Ein Wagen kostet pro Woche ab 500 Euro.

RADFAHREN

Im hügeligen Irland findet das Fahrrad als Fortbewegungsmittel dennoch große Zustimmung. Zehn Prozent der Besucher unternehmen Radtouren, vor allem im Westen und Südwesten. Es gibt zwar keine Radwege, aber geteerte Nebenstraßen mit wenig Verkehr. In Dublin sprießen die Fahrradvermieter aus den Backsteinbauten – die Stadt baut fieberhaft Radwege, Ende

Insider Tipp

Regatta vor Dun Laoghaire

2001 waren es insgesamt rund 360 km. Fahrräder lassen sich überall mieten. Ein Fahrradvermieter mit mehreren Stationen ist *Raleigh, Raleigh House, Kylemore Road, Dublin 10, Tel. 01/6261333, Fax 6261770.* In der irischen Eisenbahn kostet die Mitnahme eines Fahrrades bis 56 km 2,60 Euro, bis 108 km 7,80 Euro. Info von irischen Radreiseveranstaltern: *www.kerna.ie/wci*

REITEN

Die irische Landschaft und das Klima sind ideal für einen Reiturlaub. Ob Unterricht, Jagdreiten, begleitete Ausritte oder mehrtägige Pferdewanderungen mit Unterkunft in zünftigen Häusern, alles aus einer Hand bietet in Deutschland *Katja van Leeuwen Reitferienvermittlung, Spichernstr. 40, 42699 Solingen, Tel. 0212/33 34 88, Fax 32 09 66, www.reitferien-in-irland.de,* vor Ort ist *Horse Holiday Farm, Grange, County Sligo, Tel. 071/66152, Fax 66400* ein guter Anbieter von Reitferien.

SEGELN

3200 km Küste, 100 Yachtclubs und 50 Bootshäfen umgeben Irland. Das ideale Segelrevier konzentriert sich auf die Südküste zwischen Waterford und Kinsale.

Auskünfte erteilt die *Irish Sailing Association, 3 Park Road., Dun Laoghaire, Co. Dublin, Tel. 01/2800239, Fax 2807558, info@sailing.ie.* Eine Broschüre zum Segeln mit Reiseveranstaltern hat das Irische Fremdenverkehrsamt.

TAUCHEN

Trotz des stetigen Windes und der unruhigen See bieten die irischen Küsten eine gute Sichtweite bis zu 30 m. Flora (riesige Kelpwälder) und Fauna (von Heringsschwärmen bis zu Seehunden) sind vielfältig, der Golfstrom sorgt für erträgliche Tauchtemperaturen – bei 20 m Tiefe immer noch etwa 15 Grad. Auf der Westseite der Insel liegen zahlreiche Wracks, aber auch die Ostküste bietet interessante Tauchplätze, zu denen man mit dem Boot gelangt. Auskunft über Tauchen *(scuba diving)* und Tauchbasen: *Irish Underwater Council, 78A Patrick Street, Dun Loaghaire, Co. Dublin, Tel. 01/2844601, Fax 2844602, www.scubaireland.com*

WINDHUNDRENNEN

Traditionell ein Vergnügen der »kleinen Leute«: Die großen, grazilen Windhunde rennen einer Kaninchenattrappe hinterher, jeweils sechs Hunde in acht bis zehn Rennen pro Abend. Besucher zahlen 4 Euro Eintritt und wetten *(Einsatz 5 Euro)* auf den Sieger. Rennbahnen in allen größeren Städten, z. B. in *Corks Greyhound Stadium, Curraheen Park, Curraheen, Tel. 021/4543095, Mi, Do, Sa 20 Uhr.*

TAYTO

Kinderfreundliches Irland

Auf der grünen Insel wird der Nachwuchs überall herzlich willkommen geheißen – schließlich hat das Land die jüngste Bevölkerung Europas

Organisierte Freizeit im Themenpark oder ganz auf sich gestellt beim Krabbenjagen am Meer: Das grüne Irland ist ein Paradies für Kinder, ländlich und vom städtischen Trubel weit entfernt.

DUBLIN UND UMGEBUNG

Fort Lucan Adventureland [121 D5]
Trampoline, Schaukeln, Rutschen, Irrgarten, 12-m-Wasserrutsche und ein »verrückter« Minigolfplatz. *Westmanstown, Lucan, County Dublin, tgl. 10–18 Uhr, Eintritt Kinder (2–14 Jahre) 5 Euro, Erwachsene frei*

Fry Model Railway [121 E5]
Ein Schloss für die Eltern und eine Miniatureisenbahn für Kinder: Handgemachte Modelle, viele in den 1920er- und 30er-Jahren von dem Eisenbahningenieur Cyril Fry gefertigt, verkehren auf 250 m². *Malahide Castle Demesne, Malahide, County Dublin, April–Okt. Mo–Sa 10–12 u. 14–17, So 14–18, Nov.–März Sa/So 14–17 Uhr, Eintritt 4, Kinder 2,20, Familien 10 Euro*

Keine Frage, Irland ist ein Paradies!

Greenan Farm Museums & Maze [127 D2] Insider Tipp
Ein vergnüglicher Tag mit Belehrung und Spaß, bei Sonnenschein draußen und bei Regen drinnen: ein Bauernhof mit vielen Tieren, dazu ein Farmhousemuseum (Bauernhaus des 16. Jhs.), Farmmuseum (Gerätschaften aus 150 Jahren) und Flaschenmuseum. Der Irrgarten ist auch für Erwachsene schwierig. Mit Verkauf von Kunsthandwerk sowie frischen *scones* und Pasteten im Tearoom. *Ballinanty, Greenan, Rathdrum, County Wicklow, Mai, Juni Di–So 10–18, Juli, Aug. tgl. 10–18, Sept., Okt. So 10–18 Uhr, Eintritt 5,20, Kinder 4, Familien 15 Euro*

Giraffe's Playcentre [121 D5]
Springburgen, Kinderbillard, Schaukeln, Hängebrücken, Klettergerüste und eine Rutsche mit »freiem Fall« – ein Spielparadies für kleinere Kinder. Eltern vertreiben sich die Zeit im Coffeeshop. *Unit 212, Coolmine Industrial Estate, Blanchardstown, Dublin 15, tgl. 10–19 Uhr, Eintritt 4,50 Euro für 1,5 Std*

Hey! Doodle doodle [121 D5]
Mitmachen heißt hier die Devise: Keramik bemalen und als Souvenir mitnehmen, Becher, Schale oder Teller, Glasieren und Brennen inbegriffen, dazu Stempel und Muster. *14 Crown Alley, Temple Bar, Dublin 2, Tel. 01/6727382, www.heydoodledoodle.com, Mo–Sa 11–20, So 13–18 Uhr, Objekte 4–33 Euro, 6,50 Euro pro Malstunde*

DER SÜDEN

The Aqua Dome [122 C2]
Neben einer großen Wasserwelt mit Rutschen, Wellen, Pools und Booten auch Minigolf und zahlreiche Spiele. *Wet, Wild & Wonderful, Tralee, Co. Kerry, Dan Spring Road (an der Dingle Road Junction im Süden der Stadt am River Lee), www.discoverkerry.com/aquadome, tgl. 10–22 Uhr, Eintritt 8, Kinder 6,50 Euro*

Blennerville Steam Railway [122 C2]
Von Tralee fährt nach Blennerville an der Bucht von Tralee eine 3 km lange Dampfeisenbahn auf Schmalspur, Teil der Eisenbahn, die von 1891 bis 1953 zwischen Tralee und Dingle verkehrte. Eine Hunslet-555-Lokomotive von 1892 zieht zwei spanische Wagen und endet an der 200 Jahre alten Blennerville Windmill, die sich – 21 m hoch – nach der Restaurierung wieder dreht. Sie wird von einem Kunsthandwerkszentrum umgeben. *Blennerville Steam Railway, Ballyard, Tralee, Abfahrt in Tralee beim Aqua Dome Mai–Sept. tgl. stündlich von 11 bis 17 Uhr, in Blennerville stdl. von 11.30 bis 17.30 Uhr, Fahrpreis 3,60, Kinder 2 Euro. Blennerville Windmill, April–Okt. tgl. 10–18 Uhr, Eintritt 4, Kinder 2,30 Euro*

Fenit Sea World [122 C2]
Die Unterwasserwelt der Tralee Bay wurde hier ans Tageslicht gebracht, vom Hummer bis zum Schiffswrack, dazwischen Aale und alle Arten Fische sowie Kurioses. So nah kommen die Kleinen nicht wieder an den Krebs heran, ohne gebissen zu werden. *Fenit, Co. Kerry (12 km nordwestl. von Tralee), The Pier, tgl. 10–18 Uhr, Eintritt 4 Euro*

Fota Wildlife Park [124 B5] Insider Tipp
Ein exotischer Tierpark mit 90 Tierarten in Freigehegen, darunter auch Giraffen. *Fota Island, Carrigtohill (bei Cork), www.fotawildlife.ie, Sa/So 10–16 Uhr, Eintritt 6,80, Kinder 4 Euro*

Killarney Model Railway [123 D3]
1,5 km Schienen auf 100 m² – 50 Züge fahren durch die europäischen Landschaften, deren Leben durch kleine Figuren dargestellt wird. *Killarney, Co. Kerry, Beech Road (am New Street Car Park neben Touristeninformation), tgl. 10.30 bis 18 Uhr, Eintritt 3,25, Kinder 2 Euro*

DIE WESTKÜSTE

Atlantaquaria [118 C4]
Süß- und Meerwasserfische und anderes Meeresgetier auf 2000 m² in einer ihrer natürlichen Welt ähnlichen Umgebung; mit Lighthouse Café in einem Gebäude, das zwar kein Leuchtturm ist, aber wie einer aussieht. In einem nachgebauten U-Boot können Besucher eine simulierte Tauchfahrt erleben. *Salthill,*

Galway, The Promenade, tgl. 10–17 Uhr, Eintritt 6,50, Kinder 4 Euro

Dolphinwatch **[118 A6]**
In der Mündung des Shannon lebt eine Kolonie von Delphinen, die auf zweistündigen Bootstouren besucht werden. *Kilcredaun, Carrigaholt (60 km westlich von Ennis), Co. Clare, Tel. 065/905 81 56, www.dolphinwatch.ie, Touren von April bis Okt., Preis 13, Kinder 7,80 Euro*

Lahinch Seaworld & Leisure Centre **[118 B5]**
Eine Mischung aus Spiel- und Kletterzone (bis 11 Jahre), Schwimmbad, Kinderpool, Jacuzzi, Sauna, Aquarium, genug Unterhaltung für einen ganzen Tag. *The Promenade, Lahinch, Co. Clare, www.lahinchseaworld.com, tgl. 10–20 Uhr, Eintritt 8,50, Kinder 5,20 Euro*

DER NORDWESTEN

Leisureland **[117 D2]**
Attraktion im Freizeitland ist eine gewaltige Rutsche, die mehrspurig zu Tal führt. Dazu Autorennbahn, Autoskooter, Karussells, Ballspiel, Videospiele. Eine Minieisenbahn führt herum, und bei Regen gibt es Spaß in der Halle. *Redcastle, Moville, Co. Donegal, Mo–Sa 12–18, So 12.30–19 Uhr, Eintritt frei*

MIDLANDS

City Scope Exhibition **[126 A3]**
Eine Bild-Ton-Schau mit Modellen zur Geschichte der Stadt, ergänzt durch eine Ausstellung von Puppenhäusern *(The Small World Studio)*, die das mittelalterliche Kilkenny illustrieren. *Shee Alms House, Rose Inn Street, Kilkenny, Mo–Sa 9–18 Uhr, im Juli/Aug. auch So 11 bis 17 Uhr, Eintritt 1,30, Kinder 1 Euro*

Fethard Folk, Farm and Transport Museum **[125 D3]**
Am Sonntagnachmittag gibt es in der Grafschaft Tipperary nur ein Ziel, den alten Bahnhof am Ortsrand von Fethard. Tausende von Ausstellungsstücken zum Thema Folk & Farm mit großer Abteilung für historische Fahrzeuge. Mit Kinderspielplatz und Flohmarkt *(car boot sale). Cashel Road (R 892), Fethard, Co. Tipperary, So 12–17 Uhr, Eintritt 1,30, Kinder 1 Euro*

Nore Valley Park Open Farm **[125 F3]**
Alle Tiere eines Bauernhofes zum Anfassen, ein Esel zum Spielen, auch Lamm- und Kaninchenfütterung. Mit Kinderspielplatz und großem Heuhaufen zum Springen. Die Eltern machen derweil einen Spaziergang am Fluss. Picknickplatz und Tearoom vorhanden. *Bennetsbridge, Co. Kilkenny, April–Sept. Mo–Sa 9–21 Uhr, Eintritt 2,60, Kinder 2,30 Euro*

Parsons Green Park and Pet Farm **[124 C4]**
Das Angebot reicht von Spaziergärten am Flussufer über ein Farmmuseum zu einem Tiergarten. Anschließend schwitzt man in der Wikingersauna. Für Sportliche gibt es Ponyreiten, Bootstouren auf dem Fluss, Tennis, Basketball und »verrücktes« Golf (mit vielen ungewöhnlichen Hindernissen). Mit Campingplatz und Apartments. *Clogheen, Co. Tipperary, April bis Sept. tgl. 10–20 Uhr, Eintritt 2,60, Kinder 1,30 Euro*

Angesagt!

Was Sie wissen sollten über Trends, die Szene und Kuriositäten in Irland

Forty Foot Gentlemen's Bathing Place [119 E6]
Drei Grad Wassertemperatur und die Luft ist auch nicht wärmer: Selbst in den Wintermonaten springen die Männer des »Forty Foot Bathing Club« ins Wasser der legendären Badebucht. Seit mehr als 200 Jahren ist die Badestelle in der Bucht von Sandycove, 15 km von Dublin und 1 km südlich von Dun Laoghaire, eine Bastion für traditionsbewusste männliche Schwimmer – und total angesagt.

Vorsingen in der Grafton Street [U E4]
Dublins Dauerregen macht der Grafton Street, der Seele des Landes, nichts aus. Hier wird durchgängig musiziert, weit entfernt von der Bettelmusik in deutschen Fußgängerzonen. Studenten und Rentner, kleine Jungen als begnadete Sänger: Alle fiedeln und singen zur Erbauung der Fußgänger.

Rockstars and the Irish Way of Life [U E3]
Die Grüne Insel liegt als (Zweit)Wohnsitz im Trend bei den Großen der Pop- und Rockmusik: Marianne Faithful, Sängerin und Ex-Freundin von Mick Jagger, wohnt in einem Schloss. Und wenn sich die Rolling Stones zum Männerabend treffen, dann am liebsten im Manor House von Gitarrist Ron Wood. Auch Van Morrison (Van the Man), wird als waschechter Ire immer wieder mit seinen Windhunden gesichtet.

In the Garden ...
sang Van Morrison, und die Iren tun es ihm nach. Die historischen Parks und Gärten Irlands, seit dem 17. Jh. von den Engländern angelegt, genießen seit jeher einen guten Ruf. Ein Gartenbesuch ist heute »in«, nachdem auch viele private Besitzer ihre Tore öffneten *(www.gardensireland.com)*.

Health & Spa [119 E6]
Wellness, Fitness, Health – der Trend hat auch die Iren gepackt. Lisdoonvarna im Westen, Irlands bedeutendstes Heilbad, ist jetzt international bekannt. Im Rochestown Park Hotel in Cork lockt eine Thalasso-Therapie, und die Galway Bay Health Farm bietet ein- bis sechstägige »Mind & Body«-Programme *(www.healthfarmsofireland.com)*.

Von Anreise bis Zoll

Hier finden Sie kurz gefasst die wichtigsten Adressen und Informationen für Ihre Irlandreise

ANREISE

Auto – Fähre

Die Anfahrt von Deutschland bzw. Österreich und der Schweiz führt durch Holland, Belgien oder Frankreich, dann hat man die Wahl zwischen zahlreichen Fährpassagen nach England. Die rund dreistündige Überfahrt zwischen z.B. Ostende und Dover kostet um 25 Euro pro Person und 40 Euro für den PKW (einfache Fahrt).

Swansea Cork Ferries verbindet Swansea (Wales) und St. Malo (F) mit Cork (3 x wöchentl.). Irish Ferries verkehrt zwischen Holyhead (Wales) und Dublin (3 Std.) mit der »Ulysses«, der größten Autofähre der Welt (1300 Autos und 2000 Passagiere, Preis von 120 Euro bis 200 Euro pro PKW einschl. Fahrer und weiteren vier Personen).

Die Preise sind stark saisonabhängig. Gleiches gilt für die Direktfähren ab Frankreich. Irish Ferries fährt (nur im Sommer) von Roscoff und Cherbourg (beide in Frankreich) nach Rosslare in Irland (Fahrtdauer ca. 20 Stunden). Brittany Ferries verkehren zwischen Roscoff (Frankreich) und Cork. Fährpreise zwischen 250 und 750 Euro für 2 Personen und Pkw.

Fur eine Fahrt nach Irland reicht der nationale Führerschein.

Bahn

Der Zugverkehr von Frankfurt/Wien/Zürich führt zunächst nach London und anschließend über Holyhead in Wales nach Dublin. Reisezeit von Frankfurt nach Dublin ca. 24 Std., Preis ca. 370 Euro hin und zurück (inkl. Fähren).

Flugzeug

Unübertroffen preiswert (in Werbeperioden ab 5 Euro) und zuverlässig fliegt *Ryanair (www.ryanair.com)* von Hahn (Hunsrück) und Lübeck nach Shannon. Crossair fliegt von Zürich nach Dublin, Cork, Shannon und Galway. Mit *Aer Lingus* gibt es Direktflüge von Düsseldorf, Frankfurt, Wien und Zürich nach Dublin, von dort Anschlussflüge zu sechs irischen Flughäfen. Täglich fliegt *British Midland* von Frankfurt nach Dublin. Sondertarife für Hin- und Rückflug ab 200 Euro.

AUSKUNFT

Irische Fremdenverkehrszentrale

Untermainanlage 7, 60329 Frankfurt, Tel. 069/92 31 85 50, Fax 92 31 85 88, www.ireland-travel.ie
Schweiz: *Tel. 01/21041653 (nur telefonische Auskunft)*
Österreich: *Libellenweg 1, 1140 Wien, Tel. 01/9141351, Fax 9113765*

AUTO

In Irland herrscht Linksverkehr. Kreisverkehr hat Vorfahrt. Höchstgeschwindigkeit in Orten 30 Meilen (48 km/h), auf Landstraßen 55 Meilen (89 km/h). Die Straßen sind asphaltiert, jedoch sind Schlaglöcher häufig, und die Straßen 2. und 3. Ordnung sind sehr schmal. Die Blutalkoholgrenze liegt bei 0,8 Promille. Tankstellen finden Sie auch in abgelegeneren Landstrichen.

BANKEN / KREDITKARTEN

Öffnungszeiten der Banken *Mo–Fr 10–12.30, 13.30–15 Uhr bzw. bis 17 Uhr.* Geld erhält man an den Geldautomaten auch mit der EC-Karte. Kreditkarten werden weitgehend akzeptiert.

CAMPING

In Irland werden über 100 offiziell anerkannte Campingplätze gezählt. Die Broschüre *Caravan & Camping Parks* ist erhältlich bei der Irischen Fremdenverkehrszentrale.

DIPLOMATISCHE VERTRETUNG

Deutsche Botschaft in Irland
31, Trimleston Avenue, Booterstown, Blackrock, Co. Dublin, Tel. 01/269 30 11, Fax 269 39 46

Österreichische Botschaft in Irland
93, Ailesbury Road, Dublin 4, Tel. 01/269 45 77, Fax 283 08 60

Schweizer Botschaft in Irland
6, Ailesbury Road, Dublin 4, Tel. 01/269 25 15, Fax 283 03 44

EINREISE

Es reicht der gültige Reisepass oder Personalausweis.

EURO

Bei Redaktionsschluss standen noch nicht alle Euro-Preise fest. Wir haben die Presie deshalb in manchen Fällen auf- bzw. abgerundet. In der nächsten Auflage finden Sie wieder wie gewohnt die exakten Preise.

FERIENWOHNUNGEN

Ferienwohnungen kann man in Irland in der Hochsaison ab 200 Euro, Ferienhäuser ab 450 Euro pro Woche mieten. Auskunft und Buchung: *Irish Cottages and Holiday Homes, 4, Whitefriars, Aungier St., Dublin 2, Tel. 01/475 19 32, Fax 475 53 21, www.irishcottageholidays.com.*

Wer individuell auf die Suche nach einer Ferienunterkunft gehen will, besorgt sich für 5,20 Euro den »Ireland Self Catering Accomodation Guide« mit 3000 Angeboten. Eine Liste von 40 Reiseveranstaltern mit Ferienhäusern gibt es beim Irischen Fremdenverkehrsamt.

GESUNDHEIT

Irlands Apotheken *(chemist shops, pharmacies)* sind häufig einer Drogerie angeschlossen. Wechselnder Apothekennotdienst in Städten, Angabe der jeweils diensthabenden Apotheke im Schaufenster von Drogerien.

Bürger von EU-Staaten erhalten von ihrer gesetzlichen Krankenkasse das Formular E 111, mit dem man sich in Krankenhäusern und bei niedergelassenen Ärzten behandeln lassen kann. Arztpraxis: *doctor* oder *general practitioner* oder *surgery*. Zahnarzt: *dentist*.

HOTELS

Die preiswerteste Form der Übernachtung sind die *Bed & Breakfast*-Häuser (B&B), die man überall findet. Der Übernachtungspreis pro Person schwankt zwischen 16 und 20 Euro auf dem Lande und in der Stadt zwischen 20 und 33 Euro, je nach Komfort. Verzeichnisse von *Bed & Breakfast*-Häusern und anderen Unterkünften versendet das Irische Fremdenverkehrsamt. Auch wer sich selbst versorgen will, kann beim Verkehrsamt ein bebildertes Verzeichnis von Ferienhäusern und -wohnungen erhalten.

Eine besondere Attraktion sind die Hotels, die in ehemaligen Schlösschen, Burgen, Herrenhäusern und großzügigen Landsitzen untergebracht sind. Sie schließen oft Jagd-, Angel- und Reitmöglichkeiten ein. Ein Verzeichnis solcher Häuser ist erhältlich bei *The Friendly Homes, PO Box 2281, Dublin 4, Tel. 00353/1/668 01 09, Fax 668 65 78, www.tourismresources.ie*. Auch die Broschüre »Be Our Guest« der Irischen Fremdenverkehrszentrale enthält eine Reihe solcher Unterkünfte *(www.iol.ie/be-our-guest, alle €€)*.

Über Ferien auf dem Bauernhof informiert: *Irish Farmhouse Holidays, 2, Michael Street, Limerick, Tel. 061/40 07 00, Fax 40 07 71*

INTERNET

www.visitdublin.com breitet die gesamte Hauptstadt für Touristen aus; *www.shannon-dev.ie/tourism* erstreckt sich auf die Shannon-Region, d.h. Clare, Limerick, Tipperary, Offaly und Kerry, vom Stadt- bis zum Busfahrplan; *www.eventguide.ie*: der 14-täglich erscheinende Veranstaltungskalender führt alle aktuellen Feste und Events auf; *www.heritageireland.ie* erläutert die Kulturgeschichte und historischen Bauwerke des Landes; *www.gardensireland.com* wendet sich an Gartenliebhaber; *www.cmvhotels.com, www.hiddenhr.com, www.slh.com* und *www.irelands-bluebook.ie* führen zu kleinen, aber feinen Übernachtungshäusern; *www.iireland.travel.ie* und *www.irland-urlaub.de* sind die offiziellen Websites des Fremdenverkehrsamts.

INTERNETCAFÉS

Findet man in allen größeren Städten, in Dublin allein sechs. Sie sind meist rund um die Uhr geöffnet. Einige Beispiele: *Cybersearch, Crow Street, Temple Bar, Dublin, Tel. 01/6797607; Interpoint, University of Limerick (Student Centre), Castletroy, Limerick Tel. 061/337222; Web-Talk, 53 High Street, Killarney, tgl. 9–20 Uhr*

JUGENDHERBERGEN

Von den insgesamt 37 staatlich betriebenen Jugendherbergen, zusammengeschlossen in der »Irish Youth Hostel Association – An Oige«, sind 16 ganzjährig geöffnet. Für Besucher gibt es keine Altersbegrenzung, allerdings sollte vorbestellt und ein internationaler Jugendherbergsausweis vorgelegt werden. Übernachtung zwischen 8 und 12 Euro. Ein Verzeichnis gibt es bei der *Irish Youth Hostel Association, 61, Mountjoy Street,*

Wetter in Dublin

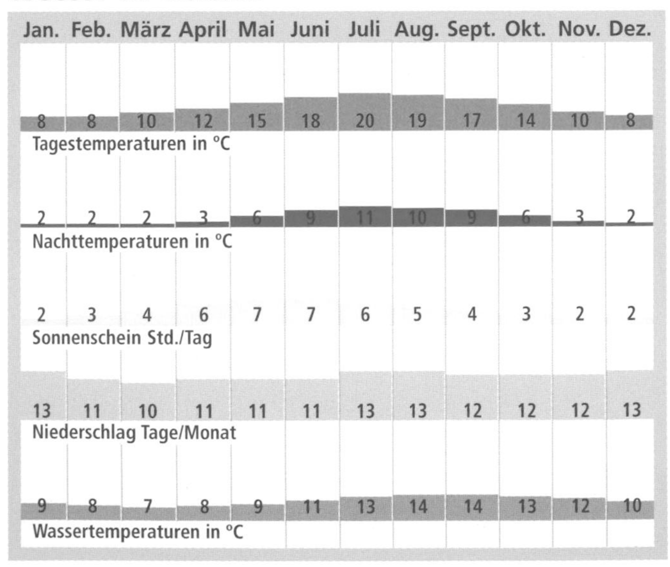

Dublin 7, Tel. 01/8304555, Fax 8305808, www. irelandyha.org.

Daneben gibt es ca. 150 unabhängige Hostels (Übernachtung ab 8 Euro), die verzeichnet sind im *Guide to independent holiday hostels*, erhältlich bei *Independent Hostels, 57, Lower Gardiner Street, Dublin 1, Tel. 01/836 47 00, Fax 836 47 10.*

KLIMA – REISEZEIT

Im Winter fällt das Thermometer ganz selten unter 0 °C, es übersteigt jedoch auch kaum 25 °C im Sommer. Mit Regen muss man immer rechnen, besonders im Westen. Dafür ist es fast überall grün. Mai und Juni sind die sonnigsten Monate. Die Touristensaison geht von Mai bis September, im Juli und August erreicht sie ihren Höhepunkt.

LITERATUR

Melanie Eclare: Die Gärten von Irland; München 2001: Wunderschön gestaltetes Gartenbuch mit einfühlsamen Porträts.

James Joyce: Dubliner, übersetzt von Dieter E. Zimmer, Frankfurt 1987: »Und zu allererst lese man die ›Dubliner‹«, schrieb der Dichter T. S. Eliot zu diesem Buch.

Ralf Sotscheck: Der keltische Tiger, Hamburg 2000: Satirische Schilderungen des irischen Alltags von einem Insider, dem in Dublin lebenden Korrespondenten der Taz.

Bernd Weisbrod: Irische Impressionen; Zürich 1999: eine einzigartige Schwarzweißschau von Land und Leuten.

Chr. Fitz-Simons (Text), H. Palmer (Fotos): Die schönsten Dörfer Irlands; Hildesheim 2000

MASSE UND GEWICHTE

Trotz der Umstellung auf das Dezimalsystem stößt man immer wieder auf folgende Maße und Gewichte:

1 foot (12 inches):	30,5 cm
1 gallon (8 pints):	4,48 l
1 inch:	2,54 cm
1 mile:	1,609 km
1 pint:	0,56 l
1 pound:	453 g
1 yard (3 feet):	91,4 cm

NOTRUF

Notruf landesweit: 999

ÖFFENTLICHE VERKEHRSMITTEL

Außer der staatlichen Transportgesellschaft C. I. E. gibt es diverse private Busunternehmen. Die Busfahrkarte Cork–Dublin und zurück *(Bus Eireann)* gibt es bereits ab etwa 20

Was kostet wie viel?

Guinness	**ab 2,50 Euro** für 1 pint
Cream Tea	**ab 1,50 Euro** Scones und Tee
Wasser	**ab 1,50 Euro** für ein Glas Mineralwasser
Wein	**3 bis 4 Euro** für eine Glas Wein
Benzin	**ca. 1 Euro** für einen Liter Super
Briefmarke	**40 Cent** für eine Postkarte ins Ausland

Euro. Die Mitnahme von Fahrrädern kostet 6,50 Euro. Mit dem *Rambler Ticket* (8 Tage 90 Euro) können alle Busse beliebig benutzt werden *(www.buseireann.ie)*. Auskünfte bei *C.I.E. Tours International, Worringer Straße 5, 40211 Düsseldorf, Tel. 0211/17 32 60, Fax 32 44 26, www.cietours.de*
Mit dem *Explorer Ticket* ist unbegrenztes Reisen mit der Bahn in einem bestimmten Zeitraum möglich, z. B. 15 Tage für ca. 90 Euro *(www.irishrail.ie)*. In Dublin verkehrt die S-Bahn DART um die gesamte Bucht von Howth nach Bray. Hier lohnt sich das 4-Tage-Ticket *Dublin Explorer*, mit dem alle Busse und Bahnen der Stadt benutzt werden können (ca. 13 Euro).

SPRACHE

Man spricht Englisch mit irischem Akzent. Im Westen, Nordwesten und auf Inseln spricht man noch Gälisch, die Sprache der Kelten. Straßenschilder sind zweisprachig.

STROM

Spannung: 220 Volt. Da britische Stecker benutzt werden, sollten Sie einen Adapter mitnehmen.

TELEFON & HANDY

Viele irische Telefonnummern werden derzeit auf 6 oder 7 Ziffern erweitert. In Cork erhielten alle Nummern eine 4 vorweg. Die Umstellung ist noch nicht abgeschlossen, man wird bei Wählen einer alten Nummer auf die Neue hingewiesen.

Telecom Irland bietet eine flächendeckende Netzversorgung für Handybenutzer. Gesprächskosten ins Ausland: 1 Min. 92 Cent in der Hauptzeit (Mo–Fr 8–18 Uhr), 74 Cent in der Nebenzeit (Mo–Fr 18–8, Sa, So ganztäglich) 56 Cent für ankommende Gespräche. Eircell und Digiphone bieten ihre Dienste für 76, in der Nebenzeit für 60 Cent an.

Kartentelefone sind weit verbreitet, Telefonkarten kosten 3–20 Euro und sind bei der Post erhältlich.

Durchwahl nach Deutschland: 0049 + deutsche Ortsnetzkennzahl ohne 0 + gewünschte Nummer. Vorwahl Österreich 0043, Vorwahl Schweiz 0041. Vorwahl nach Irland von Deutschland, Österreich und der Schweiz aus: 00353.

TRINKGELD

Taxifahrer erwarten kein Trinkgeld, im Restaurant sollte man rund 10 Prozent (falls nicht auf der Rechnung), im Pub 10 Prozent (nicht am Tresen) geben, Zimmermädchen pro Tag 50 Cent. An der Tankstelle mit Bedienung rundet man auf.

ZEIT

In Irland gilt Westeuropäische Zeit, es ist ganzjährig eine Stunde früher als auf dem Kontinent.

ZOLL

Innerhalb der EU können EU-Bürger über 17 Jahren alle Waren des persönlichen Gebrauchs frei ein- und ausführen, z.B. 800 Zigaretten und 10 l Spirituosen. Für Schweizer gelten erheblich reduzierte Freimengen.

Do you speak English?

»Sprichst du Englisch?«
Dieser Sprachführer hilft Ihnen, die wichtigsten Wörter und Sätze auf Englisch zu sagen

Zur Erleichterung der Aussprache sind alle englischen Wörter mit einer einfachen Aussprache (in eckigen Klammern) versehen. Folgende Zeichen sind Sonderzeichen:

ə nur angedeutetes »e« wie in bitte
θ [s] gesprochen mit der Zungenspitze zwischen den Zähnen

AUF EINEN BLICK

Ja./Nein.	Yes. [jäs]/No. [nəu]
Vielleicht.	Perhaps. [pə'häps]/Maybee. ['mäibih]
Bitte.	Please. [plihs]
Danke.	Thank you. ['θänkju]
Vielen Dank!	Thank you very much. ['θänkju 'wäri 'matsch]
Gern geschehen.	You're welcome. [joh 'wälkəm]
Entschuldigung!	I'm sorry! [aim 'sori]
Wie bitte?	Pardon? ['pahdn]
Ich verstehe Sie/dich nicht.	I don't understand. [ai dəunt andə'ständ]
Ich spreche nur wenig …	I only speak a bit of … [ai 'əunli spihk ə'bit əw …]
Können Sie mir bitte helfen?	Can you help me, please? ['kən ju 'hälp mi plihs]
Ich möchte …	I'd like … [aid'laik]
Das gefällt mir (nicht).	I (don't) like it. [ai (dəunt) laik‿it]
Haben Sie …?	Have you got …? ['həw ju got]
Wie viel kostet es?	How much is it? ['hau'matsch is it]
Wie viel Uhr ist es?	What time is it? [wot 'taim is it]

KENNENLERNEN

Guten Morgen!	Good morning! [gud 'mohning]
Guten Tag!	Good afternoon! [gud ahftə'nuhn]
Guten Abend!	Good evening! [gud 'ihwning]
Hallo! Grüß dich!	Hello! [hə'ləu]/Hi! [hai]
Mein Name ist …	My name is … [mai näims …]
Wie ist Ihr/dein Name?	What's your name? [wots joh 'näim]

Wie geht es Ihnen/dir?	How are you? [hau 'ah ju]
Danke. Und Ihnen/dir?	Fine thanks. And you? ['fain θänks, ənd 'ju]
Auf Wiedersehen!	Goodbye!/Bye-bye! [gud'bai/bai'bai]
Tschüss!	See you!/Bye! [sih ju/bai]
Bis morgen!	See you tomorrow! [sih ju tə'mərəu]

UNTERWEGS

Auskunft

links/rechts	left [läft]/right [rait]
geradeaus	straight on [sträit 'on]
nah/weit	near [niə]/far [fah]
Bitte, wo ist …?	Excuse me, where's …, please? [iks'kjuhs 'mih 'weəs … plihs]
Bahnhof	station ['stäischn]
Bushaltestelle	bus stop [bas stəp]
Flughafen	airport ['eəpoht]
Wie weit ist das?	How far is it? ['hau 'fahr‿is‿it]
Ich möchte ... mieten.	I'd like to hire ... [aid'laik tə 'haiə]
... ein Auto ...	… a car. [ə 'kah]
... ein Fahrrad ...	…a bike. [ə 'baik]

Panne

Ich habe eine Panne.	My car's broken down. [mai 'kahs 'brəukn 'daun]
Würden Sie mir bitte einen Abschleppwagen schicken?	Would you send a breakdown truck, please? ['wud ju sänd ə bräikdaun trak plihs]
Gibt es hier in der Nähe eine Werkstatt?	Is there a garage nearby? ['is θeə‿ə 'gärahdsch 'niərbai]

Tankstelle

Wo ist die nächste Tankstelle?	Where's the nearest petrol station? ['weəs θə 'niərist 'pätrəlstäischn]
Ich möchte … Liter …	… litres of … ['lihtəs əw]
… Normalbenzin.	… three-star, ['θrihstah]
… Super.	… four-star, ['fohstah]
… Diesel.	… diesel, ['dihsl]
… bleifrei/verbleit.	… unleaded/leaded, please. [an'lädid/'lädid plihs]
Voll tanken, bitte.	Full, please. ['ful plihs]

Unfall

Hilfe!	Help! [hälp]
Achtung!	Attention! [ə'tänschn]
Vorsicht!	Look out! ['luk 'aut]

Rufen Sie bitte …	Please call … ['plihs 'kohl]
… einen Krankenwagen.	… an ambulance. [ən 'ämbjuləns]
… die Polizei.	… the police. [θə pə'lihs]
Es war meine Schuld.	It was my fault. [it wəs 'mai 'fohlt]
Es war Ihre Schuld.	It was your fault. [it wəs 'joh 'fohlt]
Geben Sie mir bitte Ihren Namen und Ihre Anschrift.	Please give me your name and address! [plihs giw mi joh 'näim ənd ə'dräs]

ESSEN/UNTERHALTUNG

Wo gibt es hier …	Is there … here? ['is θeər … 'hiə]
… ein gutes Restaurant?	… a good restaurant …[ə 'gud 'rästərohng]
… ein typisches Restaurant?	… a restaurant with local specialities … [ə 'rästərohng wiθ 'ləukl ,späschi'älitis]
Gibt es hier eine gemütliche Kneipe?	Is there a nice pub here? ['is θeər‿ə nais 'pab hiə]
Reservieren Sie uns bitte für heute Abend einen Tisch für vier Personen.	Would you reserve us a table for four for this evening, please? ['wud ju ri'söhw əs ə 'täibl fə foh fə θis 'ihwning plihs]
Die Speisekarte, bitte.	Could I have the menu, please. ['kud ai häw θə 'mänjuh plihs]
Ich nehme ...	I'll have ... [ail häw]
Bitte ein Glas ...	A glass of ..., please [ə 'glahs‿əw ... plihs]
Auf Ihr Wohl!	Cheers! [tschiəs]
Bezahlen, bitte.	Could I have the bill, please? ['kud ai häw θə 'bil plihs]
Wo sind bitte die Toiletten?	Where are the toilets, please? ['weərə θə 'toilits plihs]

EINKAUFEN

Wo finde ich …?	Where can I find …? ['weə 'kən‿ai 'faind …]
Apotheke	chemist's [kämists]
Bäckerei	baker's [bäikəs]
Kaufhaus	department store [di'pahtmənt stoh]
Lebensmittelgeschäft	food store ['fuhd stoh]
Markt	market ['mahkit]

ÜBERNACHTUNG

Können Sie mir bitte … empfehlen?	Can you recommend …, please? [kən ju ,räkə'mänd … plihs]
… ein Hotel ...	… a hotel ... [ə həu'täl]
… eine Pension ...	… a guest-house ... [ə 'gästhaus]
Ich habe bei Ihnen ein Zimmer reserviert.	I've reserved a room. [aiw ri'söhwd‿ə 'ruhm]

Haben Sie noch …	Have you got … [həw ju got]
… ein Einzelzimmer?	… a single room? [ə 'singl ruhm]
… ein Doppelzimmer?	… a double room? [ə 'dabl ruhm]
… mit Dusche/Bad?	… with a shower/bath? [wiθ ə 'schauə/'bahθ]
… für eine Nacht?	… for one night? [fə wan 'nait]
… für eine Woche?	… for a week? [fə ə 'wihk]
Was kostet das Zimmer mit …	How much is the room with … ['hau 'matsch is θə ruhm wiθ]
… Frühstück?	… breakfast? ['bräkfəst]
… Halbpension?	… half board? ['hahf'bohd]
… Vollpension?	… full board? ['ful'bohd]

PRAKTISCHE INFORMATIONEN

Arzt

Können Sie mir einen guten Arzt empfehlen?	Can you recommend a good doctor? [kən ju ‚räkə'mänd ə gud 'doktə]
Ich habe hier Schmerzen.	I've got pain here. [aiw got päin 'hiə]

Post

Was kostet …	How much is … ['hau 'matsch is]
… ein Brief …	… a letter … [ə 'lätə]
… eine Postkarte …	… a postcard … [ə pəustkahd]
… nach Deutschland?	… to Germany? [tə 'dschöhməni]

ZAHLEN

0	zero, nought [siərəu, noht]
1	one [wan]
2	two [tuh]
3	three [θrih]
4	four [foh]
5	five [faiw]
6	six [siks]
7	seven ['säwn]
8	eight [äit]
9	nine [nain]
10	ten [tän]
11	eleven [i'läwn]
12	twelve [twälw]
13	thirteen [θöh'tihn]
14	fourteen [‚foh'tihn]
15	fifteen [‚fif'tihn]
16	sixteen [‚siks'tihn]
17	seventeen [‚säwn'tihn]
18	eighteen [‚äi'tihn]
19	nineteen [‚nain'tihn]
20	twenty ['twänti]
21	twenty-one [‚twänti'wan]
30	thirty ['θöhti]
40	forty ['fohti]
50	fifty ['fifti]
60	sixty ['siksti]
70	seventy ['säwnti]
80	eighty ['äiti]
90	ninety ['nainti]
100	a (one) hundred ['ə (wan) 'handrəd]
1000	a (one) thousand ['ə (wan) 'θausənd]
10000	ten thousand ['tän 'θausənd]
1/2	a half [ə 'hahf]
1/4	a (one) quarter ['ə (wan) 'kwohtə]

Reiseatlas Irland

Die Seiteneinteilung für den Reiseatlas finden Sie auf dem hinteren Umschlag dieses Reiseführers

Kartenlegende Reiseatlas

le Mans-Est 4	Autobahn mit Anschlussstelle Motorway with junction
Datum, Date	Autobahn in Bau Motorway under construction
Datum, Date	Autobahn in Planung Motorway projected
R	Raststätte mit Übernachtungsmöglichkeit Roadside restaurant and hotel
R	Raststätte ohne Übernachtungsmöglichkeit Roadside restaurant
E	Erfrischungsstelle, Kiosk Snackbar, kiosk
T A	Tankstelle, Autohof Filling-station, Truckstop
	Autobahnähnliche Schnellstraße mit Anschlussstelle Dual carriage-way with motorway characteristics with junction
	Straße mit zwei getrennten Fahrbahnen Dual carriage-way
	Durchgangsstraße Thoroughfare
	Wichtige Hauptstraße Important main road
	Hauptstraße Main road
	Sonstige Straße Other road
	Fernverkehrsbahn Main line railway
	Bergbahn Mountain railway
	Autotransport per Bahn Transport of cars by railway
	Autofähre Car ferry
	Schifffahrtslinie Shipping route
	Landschaftlich besonders schöne Strecke Route with beautiful scenery
Routes des Crêtes	Touristenstraße Tourist route
	Straße gegen Gebühr befahrbar Toll road
X X X	Straße für Kraftfahrzeuge gesperrt Road closed to motor traffic
	Zeitlich geregelter Verkehr Temporal regulated traffic
15%	Bedeutende Steigungen Important gradients

Kultur
Culture

★★ PARIS ★★ *la Alhambra*	Eine Reise wert Worth a journey
★ TRENTO ★ *Comburg*	Lohnt einen Umweg Worth a detour

Landschaft
Landscape

★★ Rodos ★★ *Fingal's cave*	Eine Reise wert Worth a journey
★ Korab ★ *Jaskinia raj*	Lohnt einen Umweg Worth a detour
	Besonders schöner Ausblick Important panoramic view
	Nationalpark, Naturpark National park, nature park
	Sperrgebiet Prohibited area
4807	Bergspitze mit Höhenangabe in Metern Mountain summit with height in metres
(630)	Ortshöhe Elevation
	Kirche Church
	Kirchenruine Church ruin
	Kloster Monastery
	Klosterruine Monastery ruin
	Schloss, Burg Palace, castle
	Schloss-, Burgruine Palace ruin, castle ruin
	Denkmal Monument
	Wasserfall Waterfall
	Höhle Cave
	Ruinenstätte Ruins
	Sonstiges Objekt Other object
	Jugendherberge Youth hostel
	Badestrand · Surfen Bathing beach · Surfing
	Tauchen · Fischen Diving · Fishing
	Verkehrsflughafen Airport
	Regionalflughafen · Flugplatz Regional airport · Airfield

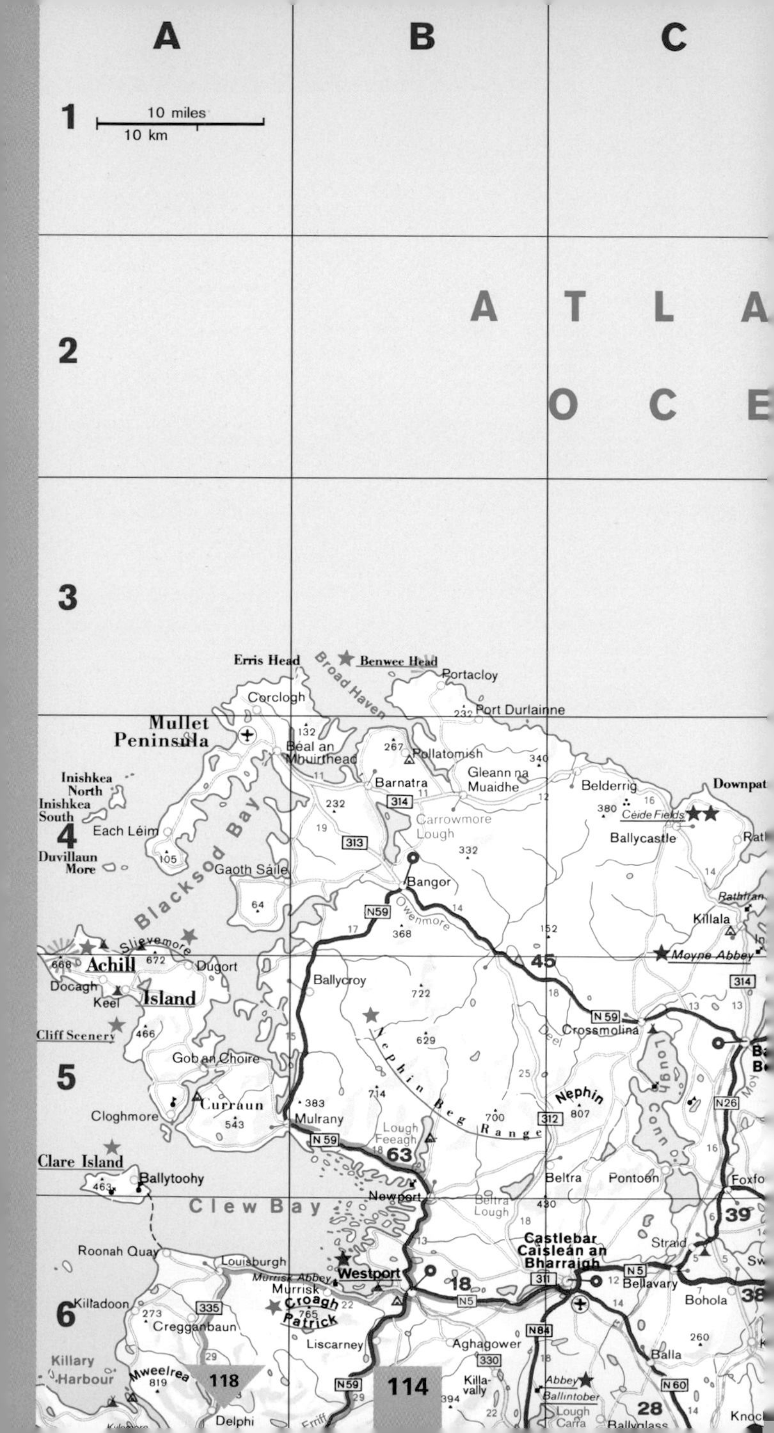
A
B
C
1
2
3
4
5
6
10 miles
10 km
ATLA
OCE
Erris Head
Benwee Head
Broad Haven
Portacloy
Corclogh
Port Durlainne
Mullet Peninsula
Béal an Mhuirthead
Pollatomish
Gleann na Muaidhe
Belderrig
Downpat
Inishkea North
Inishkea South
Barnatra
Céide Fields
Each Léim
Blacksod Bay
Carrowmore Lough
Ballycastle
Duvillaun More
Gaoth Sáile
Bangor
Rathfran
Owenmore
Killala
Slievemore
Moyne Abbey
Achill Island
Dugort
Docagh
Keel
Ballycroy
Cliff Scenery
Crossmolina
Lough Conn
Gob an Choire
Nephin Beg Range
Nephin
Curraun
Cloghmore
Mulrany
Lough Feeagh
Clare Island
Ballytoohy
Beltra
Pontoon
Foxfo
Newport
Clew Bay
Beltra Lough
Castlebar
Caisleán an Bharraigh
Strade
Roonah Quay
Louisburgh
Murrisk Abbey
Westport
Murrisk
Bellavary
Kilfadoon
Croagh Patrick
Bohola
Cregganbaun
Liscarney
Aghagower
Balla
Killary Harbour
Mweelrea
Killavally
Abbey
Ballintober
Lough Carra
Delphi
Knoc
N59
N5
N26
N84
N60
314
313
312
311
330
335
118
114
45
63
39
18
38
28

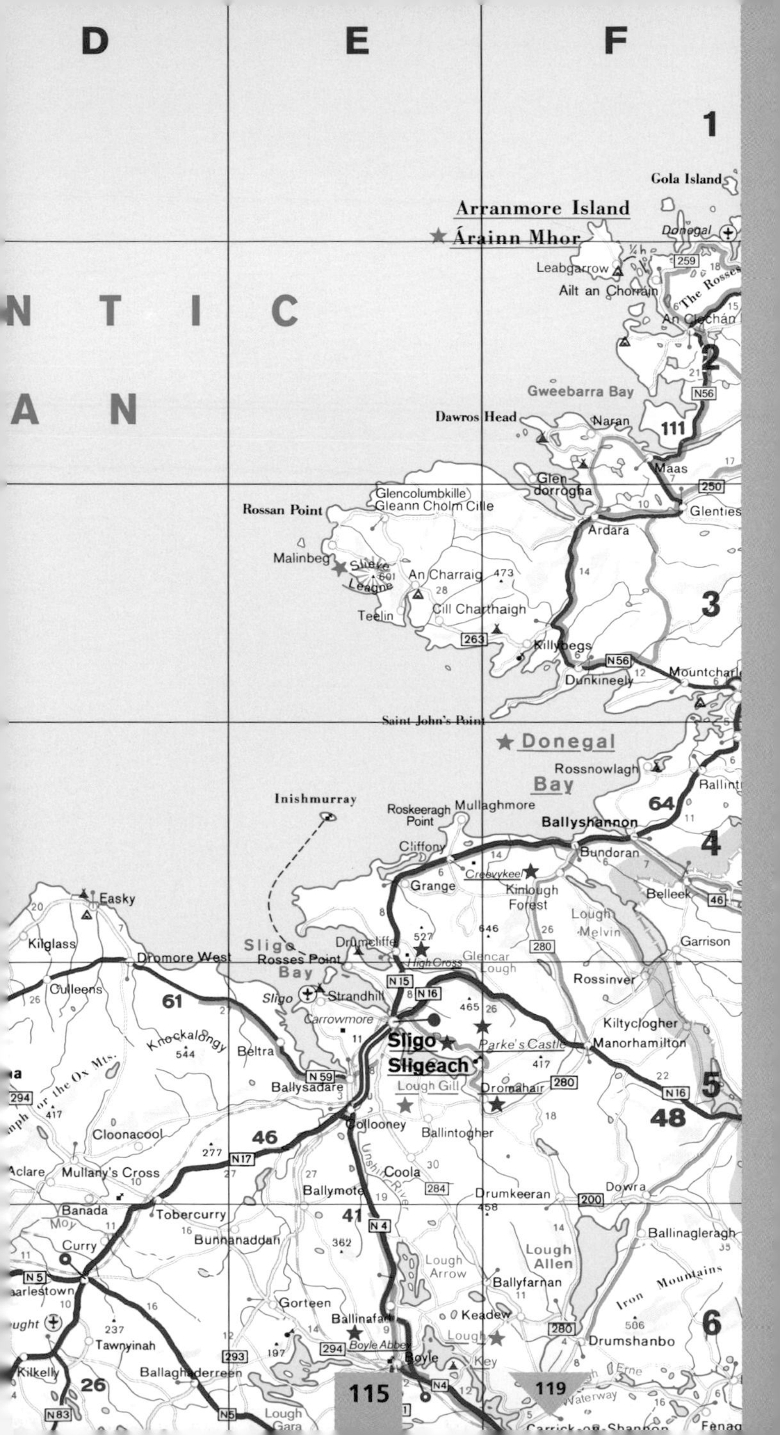
D
E
F
1
2
3
4
5
6
N T I C
A N
Gola Island
Arranmore Island
Árainn Mhor
Donegal
Leabgarrow
Ailt an Chorráin
The Rosses
An Clochán
259
Gweebarra Bay
N56
Dawros Head
Naran
111
Maas
Glen-
dorrogha
250
Glenties
Glencolumbkille
Gleann Cholm Cille
Rossan Point
Ardara
Malinbeg
Slieve
Leagne
601
An Charraig
473
Teelin
Cill Charthaigh
263
Killybegs
N56
Dunkineely
Mountcharles
Saint John's Point
Donegal
Bay
Rossnowlagh
Ballintra
Inishmurray
Roskeeragh
Point
Mullaghmore
Ballyshannon
64
Cliffony
Bundoran
Creevykeel
Kinlough
Forest
Belleek
46
Grange
Lough
Melvin
Garrison
Easky
Kilglass
Dromore West
Sligo
Bay
Rosses Point
Drumcliffe
527
646
280
High Cross
Glencar
Lough
Rossinver
Culleens
61
Sligo
Strandhill
N15
N16
465
Carrowmore
Kiltyclogher
Manorhamilton
Knockalongy
544
Beltra
Sligo
Sligeach
Parke's Castle
417
N59
Ballysadare
Lough Gill
Dromahair
280
N16
48
294
417
Ox Mts.
Cloonacool
46
Collooney
Ballintogher
277
N17
Aclare
Mullany's Cross
Unshin River
Coola
284
Ballymote
Drumkeeran
200
Dowra
458
Banada
Moy
Tobercurry
41
N4
Bunnanaddan
Ballinagleragh
Curry
362
Lough
Arrow
Lough
Allen
N5
Charlestown
Iron Mountains
Ballyfarnan
Gorteen
Keadew
Knock
237
Tawnyinah
Ballinafad
Lough
Key
506
280
Drumshanbo
293
197
294
Boyle Abbey
Boyle
Kilkelly
26
Ballaghaderreen
115
N4
119
Erne
Waterway
N83
N5
Lough
Gara
Carrick-on-Shannon
Fenagh

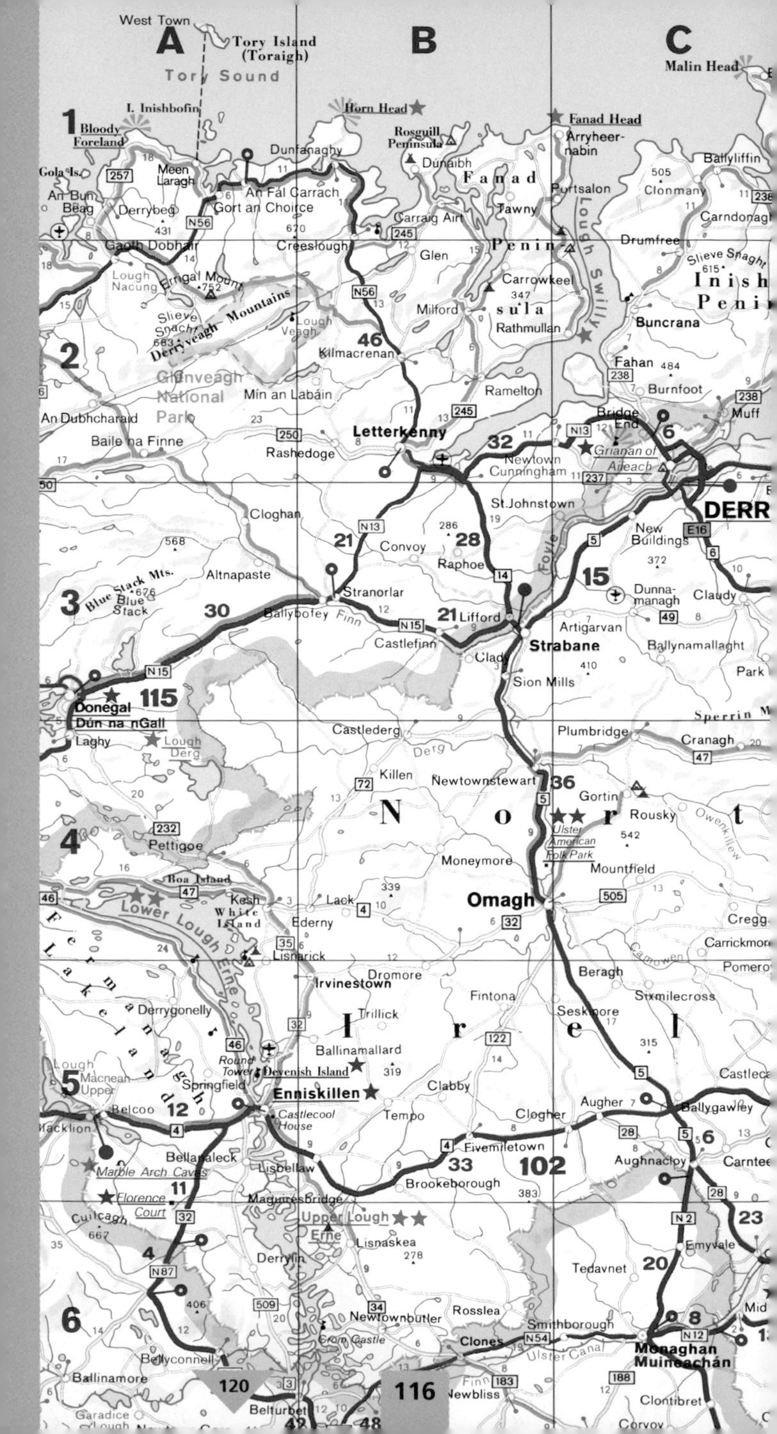

A
B
C
1
2
3
4
5
6
West Town
Tory Island
(Toraigh)
Tory Sound
Malin Head
I. Inishbofin
Horn Head
Fanad Head
Bloody Foreland
Rosguill Peninsula
Dúnaibh
Arryheernabin
Gola Is.
Meen Laragh
Dunfanaghy
Fanad Peninsula
Portsalon
Ballyliffin
Clonmany
An Bun Beag
Derrybeg
An Fál Carrach
Gort an Choirce
Tawny
Carndonagh
Carraig Airt
Lough Swilly
Drumfree
Gaoth Dobhair
Creeslough
Glen
Slieve Snaght
Inishowen Peninsula
Lough Nacung
Errigal Mount
Carrowkeel
Milford
Rathmullan
Buncrana
Slieve Snacht
Derryveagh Mountains
Lough Veagh
Kilmacrenan
Fahan
Burnfoot
Glenveagh National Park
Mín an Labáin
Ramelton
An Dubhcharaid
Baile na Finne
Rashedoge
Letterkenny
Bridge End
Muff
Grianan of Aileach
Newtown Cunningham
Cloghan
St.Johnstown
DERRY
Convoy
Raphoe
New Buildings
Foyle
Blue Stack Mts.
Blue Stack
Altnapaste
Stranorlar
Ballybofey
Finn
Castlefinn
Lifford
Dunnamanagh
Claudy
Artigarvan
Strabane
Clady
Ballynamallaght
Sion Mills
Park
Donegal
Dún na nGall
Laghy
Lough Derg
Castlederg
Derg
Plumbridge
Cranagh
Sperrin M
Killen
Newtownstewart
Gortin
Rousky
Owenkillew
Northern Ireland
Ulster American Folk Park
Pettigoe
Moneymore
Mountfield
Boa Island
Kesh
White Island
Lack
Omagh
Lower Lough Erne
Ederny
Cregg
Carrickmore
Lisnarick
Fermanagh Lakeland
Dromore
Irvinestown
Beragh
Pomeroy
Camowen
Fintona
Sixmilecross
Derrygonelly
Trillick
Seskinore
Lough Macnean Upper
Round Tower
Devenish Island
Ballinamallard
Springfield
Enniskillen
Clabby
Castlecaulfield
Belcoo
Castlecool House
Tempo
Clogher
Augher
Ballygawley
Blacklion
Fivemiletown
Bellanaleck
Aughnacloy
Carnteel
Marble Arch Caves
Lisbellaw
Brookeborough
Florence Court
Maguiresbridge
Upper Lough Erne
Cuilcagh
Lisnaskea
Emyvale
Derrylin
Tedavnet
Newtownbutler
Rosslea
Smithborough
Crom Castle
Clones
Ulster Canal
Monaghan
Muineachán
Bellyconnell
Ballinamore
Finn
Newbliss
Belturbet
Clontibret
Garadice Lough
Corvoy

120

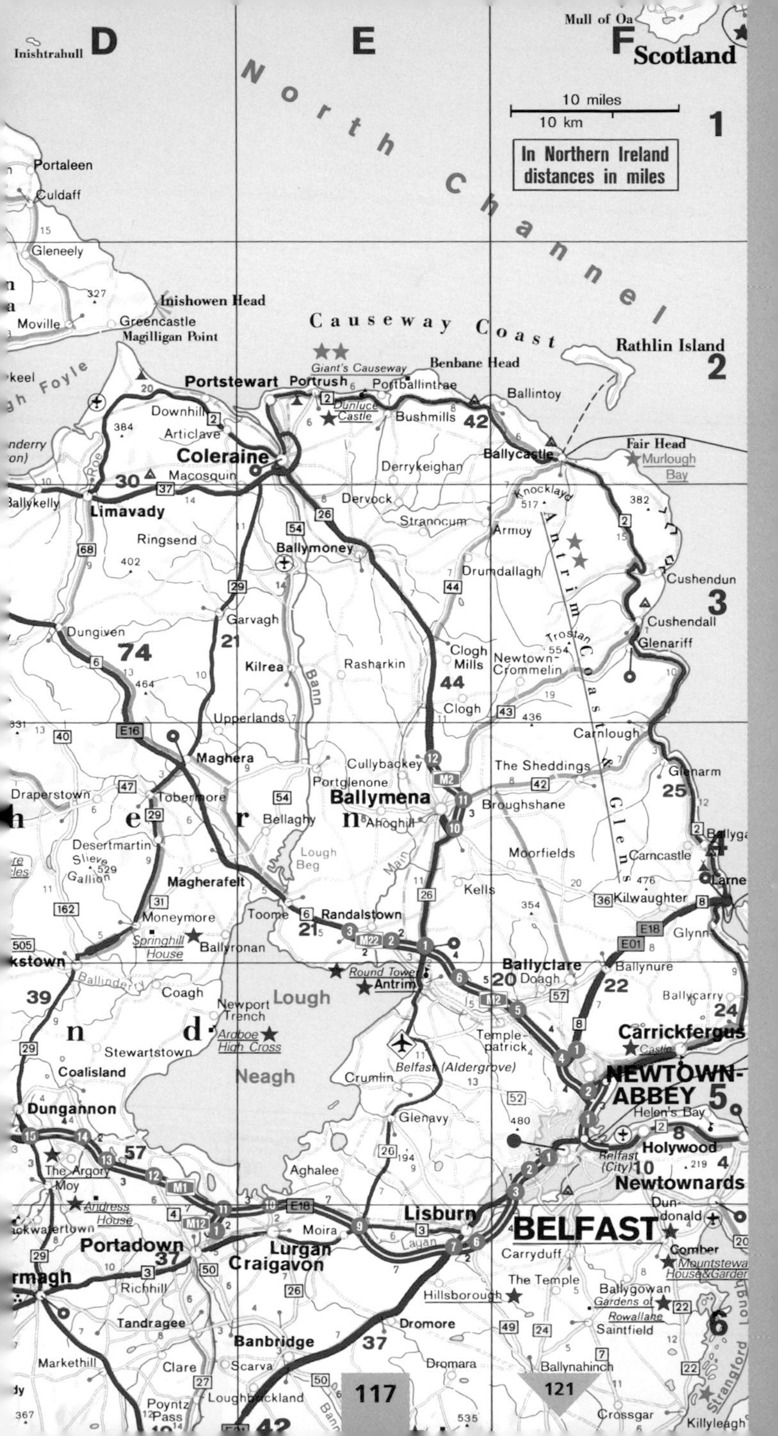

D
E
F
Inishtrahull
Mull of Oa
Scotland
North Channel
10 miles
10 km
1
In Northern Ireland distances in miles
Portaleen
Culdaff
Gleneely
Inishowen Head
Moville
Greencastle
Magilligan Point
Causeway Coast
Giant's Causeway
Benbane Head
Rathlin Island
2
Portstewart
Portrush
Portballintrae
Dunluce Castle
Bushmills
Ballintoy
Downhill
Articlave
Coleraine
Macosquin
Ballycastle
Fair Head
Murlough Bay
Derrykeighan
Limavady
Dervock
Stranocum
Armoy
Knocklayd
Ringsend
Ballymoney
Drumdallagh
Antrim Coast & Glens
Cushendun
3
Cushendall
Garvagh
Dungiven
Glenariff
Trostan
Kilrea
Rasharkin
Clogh Mills
Newtown-Crommelin
Bann
Clogh
Upperlands
Carnlough
Maghera
Cullybackey
The Sheddings
Glenarm
Draperstown
Tobermore
Portglenone
Ballymena
Broughshane
Bellaghy
Ahoghill
Desertmartin
Slieve Gallion
Lough Beg
Moorfields
Carncastle
Larne
4
Magherafelt
Kells
Kilwaughter
Moneymore
Toome
Randalstown
Glynn
Springhill House
Ballyronan
Ballinderry
Coagh
Round Tower
Antrim
Ballyclare
Doagh
Ballynure
Ballycarry
Newport Trench
Lough Neagh
Ardboe High Cross
Temple-patrick
Carrickfergus
Castle
Stewartstown
Coalisland
Crumlin
Belfast (Aldergrove)
NEWTOWN-ABBEY
5
Helen's Bay
Dungannon
Glenavy
Holywood
Belfast (City)
Newtownards
The Argory
Moy
Ardress House
Aghalee
Dun-donald
Portadown
Moira
Lisburn
Lagan
BELFAST
Comber
Lurgan
Craigavon
Carryduff
Mountstewart House&Garden
Richhill
The Temple
Ballygowan
Gardens of Rowallane
Hillsborough
Tandragee
Dromore
Saintfield
6
Banbridge
Markethill
Clare
Scarva
Dromara
Ballynahinch
Strangford Lough
Poyntz Pass
Loughbrickland
Crossgar
Killyleagh
Armagh
117
121

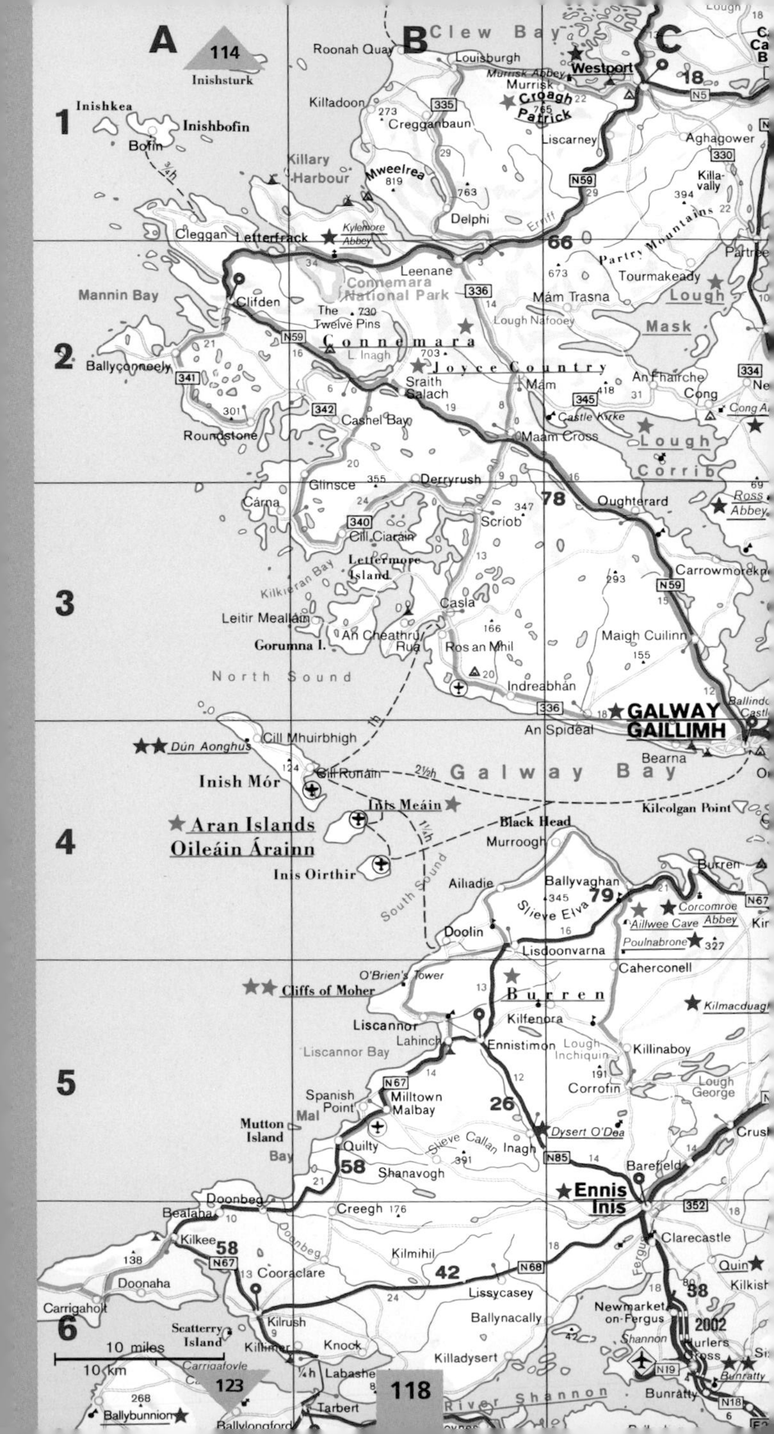

A
B
C
1
2
3
4
5
6
114
Inishsturk
123
118
Inishkea
Inishbofin
Bofin
¾h
Clew Bay
Roonah Quay
Louisburgh
Murrisk Abbey
Murrisk
Westport
Croagh Patrick
765
Killadoon
273
Cregganbaun
335
Liscarney
Aghagower
330
N5
N59
Killary Harbour
Mweelrea
819
763
Delphi
Killavally
394
Partry Mountains
Erriff
Cleggan
Letterfrack
Kylemore Abbey
66
Partree
Leenane
673
Tourmakeady
Lough Mask
Mannin Bay
Clifden
Connemara National Park
336
Mám Trasna
The Twelve Pins
730
Lough Nafooey
Connemara
L. Inagh
703
Joyce Country
Ballyconneely
341
Sraith Salach
Mám
418
An Fhairche
Cong
334
345
Cong Abbey
Castle Kirke
342
Cashel Bay
301
Roundstone
Maam Cross
Lough Corrib
Glinsce
355
Derryrush
Cárna
347
78
Oughterard
Ross Abbey
Scríob
340
Cill Ciaráin
Lettermore Island
Kilkieran Bay
293
Carrowmoreknock
N59
Casla
Leitir Meallain
An Cheathrú Rua
166
Maigh Cuilinn
Gorumna I.
Ros an Mhil
155
North Sound
Indreabhán
336
GALWAY
GAILLIMH
Ballindooley Castle
Dún Aonghus
Cill Mhuirbhigh
1h
An Spidéal
Bearna
124
Cill Rónáin
2½h
Galway Bay
Inish Mór
Inis Meáin
Kilcolgan Point
Aran Islands
Oileáin Árainn
1¼h
Black Head
Murroogh
Inis Oirthir
Burren
South Sound
Ailladie
Ballyvaghan
345
79
Corcomroe Abbey
N67
Slieve Elva
Aillwee Cave
Doolin
Lisdoonvarna
Poulnabrone
327
Caherconell
O'Brien's Tower
Cliffs of Moher
Burren
Kilmacduagh
Kilfenora
Liscannor
Lahinch
Ennistimon
Lough Inchiquin
Killinaboy
Liscannor Bay
191
Corrofin
Lough George
Spanish Point
N67
Milltown Malbay
26
Mutton Island
Mal Bay
Quilty
Slieve Callan
391
Inagh
Dysert O'Dea
N85
Crusheen
58
Shanavogh
Barefield
Doonbeg
Ennis
Inis
352
Bealaha
Creegh
176
Kilkee
58
Clarecastle
Doonbeg
138
N67
Kilmihil
42
N68
Quin
Fergus
Doonaha
Cooraclare
Lissycasey
Kilkishen
Carrigaholt
Newmarket-on-Fergus
38
Kilrush
Ballynacally
2002
Scattery Island
Shannon
Hurlers Cross
10 miles
10 km
Killimer
Knock
Killadysert
N19
Carrigafoyle
Bunratty
¼h
Labasheeda
268
River Shannon
Bunratty
Ballybunion
Tarbert
N18
Ballylongford

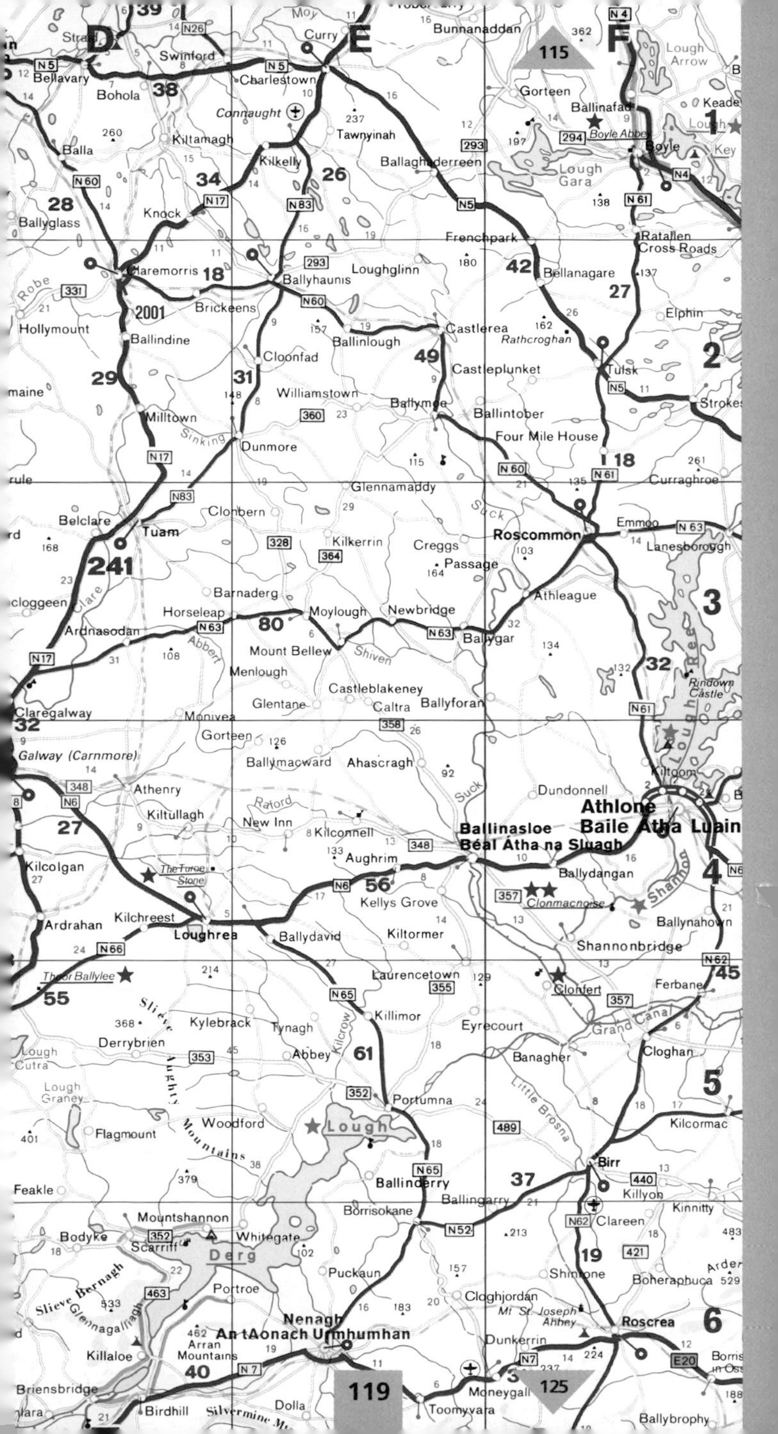

D
E
F
115
Moy
Curry
Bunnanaddan
N 4
Lough Arrow
Strade
N26
Swinford
N5
Bellavary
Bohola
38
Charlestown
Connaught
Gorteen
Ballinafad
Keadew
Boyle Abbey
Boyle
Key
1
237
Tawnyinah
Kiltamagh
260
Balla
Kilkelly
Ballaghaderreen
293
294
Lough Gara
N4
N 60
34
26
N17
N83
N5
N 61
28
Knock
Ballyglass
Ratallen Cross Roads
Frenchpark
Claremorris
18
Ballyhaunis
Loughglinn
42
Bellanagare
27
Robe
331
N60
Brickeens
2001
Hollymount
Ballindine
157
Ballinlough
Castlerea
Rathcroghan
Elphin
Tulsk
2
Cloonfad
49
Castleplunket
29
31
Williamstown
Ballymoe
Ballintober
N5
Strokes
Milltown
360
Four Mile House
Sinking
Dunmore
N17
115
18
N 60
N 61
Curraghroe
N83
Glennamaddy
Belclare
Clonbern
Suck
Tuam
Emmoo
N 63
Roscommon
Lanesborough
241
328
364
Kilkerrin
Creggs
Passage
Barnaderg
Athleague
3
Clare
Horseleap
Moylough
Newbridge
80
N63
N 63
Ballygar
Ardnasodan
Mount Bellew
Shiven
Abbert
N17
Menlough
32
Rindown Castle
Lough Ree
Castleblakeney
Glentane
Caltra
Ballyforan
Claregalway
Monivea
N61
32
358
Gorteen
Galway (Carnmore)
Ballymacward
Ahascragh
Kiltoom
348
N6
Athenry
Dundonnell
Raford
Athlone
Baile Átha Luain
Kiltullagh
27
New Inn
Kilconnell
Ballinasloe
Béal Átha na Sluagh
348
Aughrim
Ballydangan
Kilcolgan
The Turoe Stone
N6
56
Kellys Grove
357
Clonmacnoise
Shannon
4
Kilchreest
Ardrahan
Loughrea
Ballydavid
Kiltormer
Ballynahown
N 66
Shannonbridge
Thoor Ballylee
55
Laurencetown
355
Clonfert
N62
Ferbane
45
N 65
357
Slieve Aughty Mountains
Kylebrack
Tynagh
Killimor
Kilcrow
Eyrecourt
Grand Canal
Derrybrien
Lough Cutra
353
Abbey
61
Banagher
Cloghan
Lough Graney
352
Portumna
Little Brosna
5
Woodford
Lough
489
Kilcormac
Flagmount
N65
Birr
Feakle
37
440
Ballinderry
Killyon
Ballingarry
Kinnitty
Mountshannon
Borrisokane
N52
N62
Clareen
Bodyke
352
Whitegate
Scarriff
Derg
421
19
Puckaun
Shinrone
Boheraphuca
Arden
Slieve Bernagh
Glennagalliagh
463
Portroe
Cloghjordan
Mt St. Joseph Abbey
Nenagh
An tAonach Urmhumhan
Roscrea
6
Arran Mountains
Dunkerrin
Killaloe
40
N 7
N7
E20
Borris in Ossory
119
125
Moneygall
Briensbridge
Birdhill
Silvermine Mts
Dolla
Toomyvara
Ballybrophy

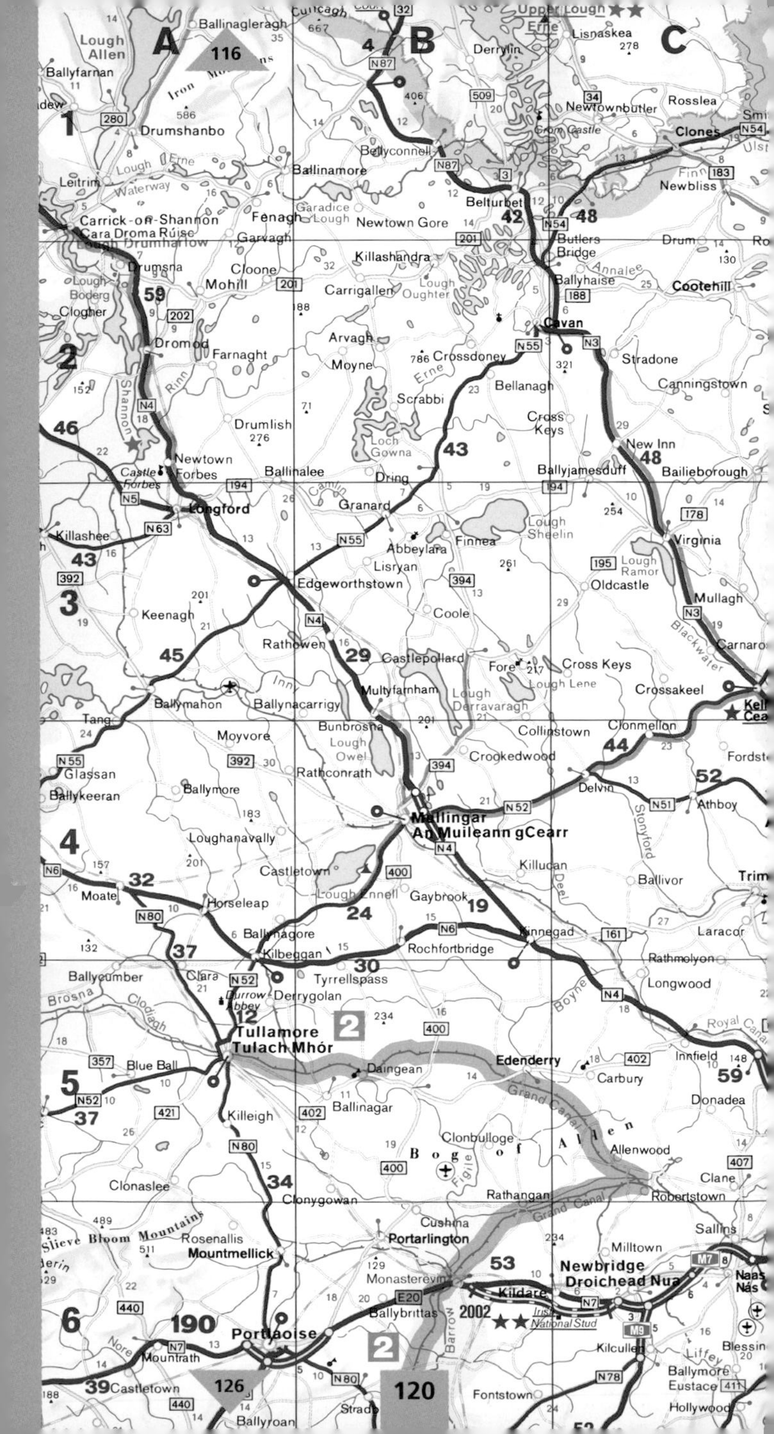

A
B
C
116
Lough Allen
Ballinagleragh
Ballyfarnan
Iron Mountains
Drumshanbo
Lough Erne Waterway
Leitrim
Carrick-on-Shannon
Cara Droma Rúisc
Lough Drumharlow
Drumsna
Lough Boderg
Clogher
Dromod
Farnaght
Shannon
Rinn
Newtown Forbes
Castle Forbes
Longford
Killashee
Keenagh
Ballymahon
Tang
Glassan
Ballykeeran
Ballymore
Moyvore
Loughanavally
Moate
Horseleap
Ballynagore
Kilbeggan
Clara
Durrow Abbey
Ballycumber
Brosna
Clodiagh
Tullamore
Tulach Mhór
Blue Ball
Killeigh
Clonaslee
Slieve Bloom Mountains
Rosenallis
Mountmellick
Mountrath
Nore
Portlaoise
Castletown
Ballyroan
Stradbally
Ballinamore
Fenagh
Garadice Lough
Garvagh
Mohill
Cloone
Drumlish
Ballinalee
Edgeworthstown
Rathowen
Ballynacarrigy
Inny
Bunbrosna
Lough Owel
Rathconrath
Castletown
Lough Ennell
Derrygolan
Tyrrellspass
Daingean
Ballinagar
Clonygowan
Portarlington
Monasterevin
Ballybrittas
Cushina
Barrow
Ballyconnell
Newtown Gore
Killashandra
Carrigallen
Lough Oughter
Arvagh
Moyne
Crossdoney
Erne
Scrabbi
Loch Gowna
Dring
Camlin
Granard
Abbeylara
Lisryan
Coole
Castlepollard
Multyfarnham
Lough Derravaragh
Mullingar
An Muileann gCearr
Gaybrook
Rochfortbridge
Kinnegad
Edenderry
Bog of Allen
Clonbulloge
Figile
Rathangan
Grand Canal
Kildare
Irish National Stud
Upper Lough Erne
Lisnaskea
Derrylin
Newtownbutler
Crom Castle
Rosslea
Clones
Newbliss
Finn
Belturbet
Butlers Bridge
Annalee
Ballyhaise
Cavan
Stradone
Canningstown
Bellanagh
Cross Keys
Ballyjamesduff
New Inn
Bailieborough
Cootehill
Drum
Finnea
Lough Sheelin
Virginia
Lough Ramor
Oldcastle
Mullagh
Blackwater
Carnaross
Fore
Cross Keys
Lough Lene
Crossakeel
Collinstown
Clonmellon
Crookedwood
Delvin
Athboy
Stonyford
Killucan
Deel
Ballivor
Trim
Laracor
Rathmolyon
Longwood
Boyne
Royal Canal
Innfield
Carbury
Donadea
Allenwood
Clane
Robertstown
Sallins
Milltown
Newbridge
Droichead Nua
Naas
Nás
Kilcullen
Liffey
Ballymore Eustace
Blessington
Hollywood
Fontstown
2002
120
126
190
N87
N54
N3
N55
N4
N5
N63
N52
N6
N80
N7
N51
N78
M7
M9
E20

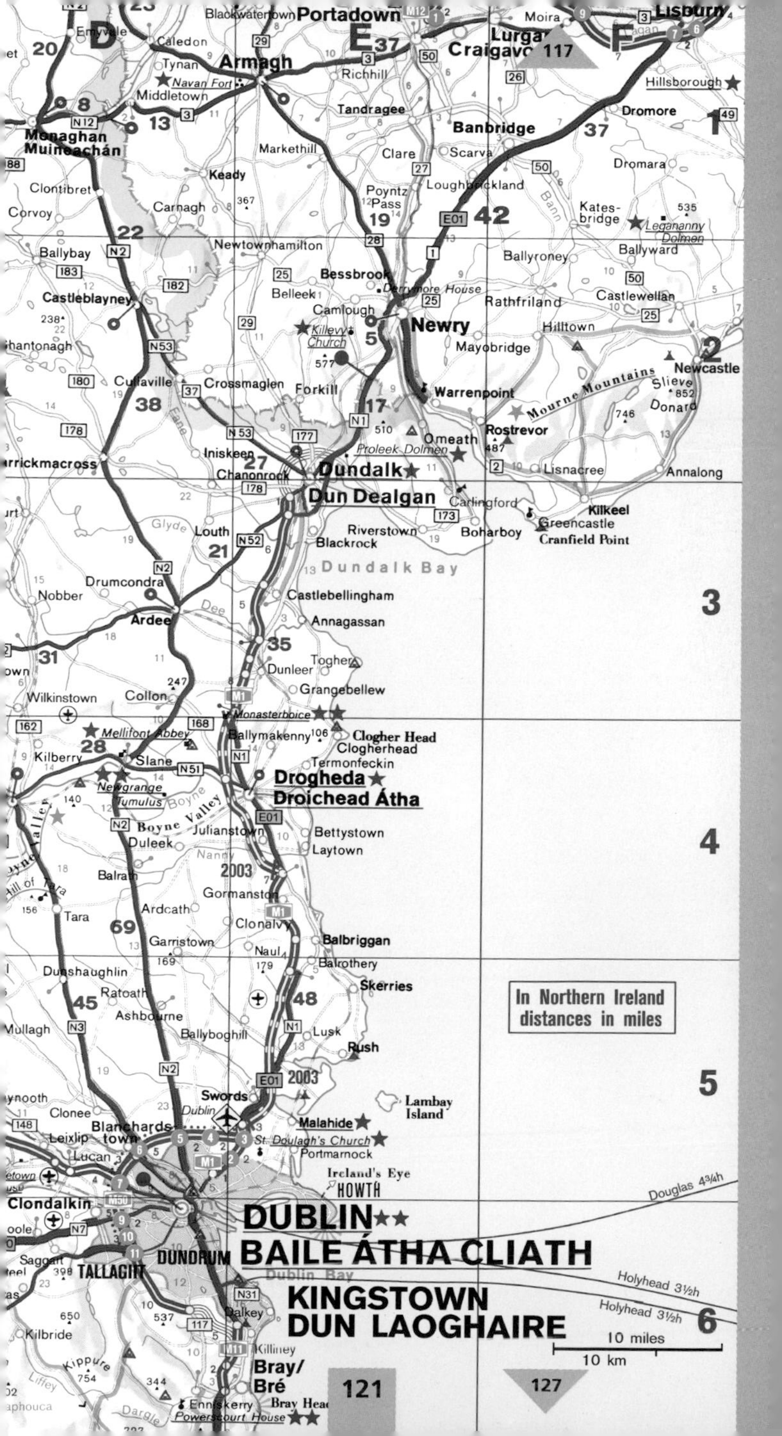
Blackwatertown
Portadown
Moira
Lisburn
Emyvale
Caledon
Armagh
Tynan
Navan Fort
Middletown
Richhill
Lurgan
Craigavon
117
Hillsborough
Tandragee
Dromore
Monaghan
Muineachán
Banbridge
Markethill
Clare
Scarva
Dromara
Keady
Clontibret
Carnagh
Loughbrickland
Poyntz Pass
Corvoy
Kates-bridge
Legananny Dolmen
Bann
Newtownhamilton
Ballybay
Ballyroney
Ballyward
Bessbrook
Derrymore House
Belleek
Castleblayney
Camlough
Rathfriland
Castlewellan
Killevy Church
Newry
Hilltown
Mayobridge
Newcastle
Cullaville
Crossmaglen
Forkill
Warrenpoint
Mourne Mountains
Slieve Donard
Omeath
Rostrevor
Proleek Dolmen
Iniskeen
Carrickmacross
Chanonrock
Dundalk
Lisnacree
Annalong
Dun Dealgan
Carlingford
Kilkeel
Glyde
Louth
Riverstown
Boharboy
Greencastle
Cranfield Point
Blackrock
Dundalk Bay
Drumcondra
Nobber
Castlebellingham
Ardee
Dee
Annagassan
Togher
Dunleer
Grangebellew
Wilkinstown
Collon
Monasterboice
Mellifont Abbey
Ballymakenny
Clogher Head
Clogherhead
Kilberry
Slane
Termonfeckin
Drogheda
Droichead Átha
Newgrange Tumulus
Boyne Valley
Julianstown
Bettystown
Laytown
Duleek
Nanny
Balrath
Hill of Tara
Gormanston
Tara
Ardcath
Clonalvy
Garristown
Balbriggan
Naul
Balrothery
Dunshaughlin
Skerries
Ratoath
In Northern Ireland distances in miles
Ashbourne
Mullagh
Lusk
Ballyboghill
Rush
Swords
Lambay Island
Dublin
Clonee
Blanchardstown
Malahide
Leixlip
St. Doulagh's Church
Lucan
Portmarnock
Ireland's Eye
HOWTH
Douglas 4¾h
Clondalkin
DUBLIN
BAILE ÁTHA CLIATH
Saggart
TALLAGHT
DUNDRUM
Dublin Bay
Holyhead 3½h
KINGSTOWN
DUN LAOGHAIRE
Kilbride
Dalkey
10 miles
10 km
Killiney
Kippure
Bray/
Bré
121
127
Liffey
Enniskerry
Bray Head
Powerscourt House
Dargle

A
B
C
1
2
3
4
5
6
Kilbaha
Loop Head
Mouth of the Shannon
Kerry Head
219
Ballyheige
Ballyheige Bay
Brandon Point
Fahamore
Brandon Mtn.
Brandon Bay
Ceann Sibéal
Inishtooskert
Blasket Islands
An Blascaod Mór
293
Great Blasket Island
Inishrickillane
Baile na nGall
953
Cloghane
Dingle Peninsula
Castlegregory
Tralee Bay
Ardfert
Fenit
Oratory of Gallarus
827
Tullaree
Ballynana
Dún Chaoin
517
Ceann Trá
618
An Daingean
Dingle
N86
Anascaul
Camp
Baurtregaun
853
Slieve Mish Mountains
Inch
Aughils
561
Dingle Bay
Castlemaine
Milltown
73
Killorglin
Doulus Head
691
33
N70
Leacanabuaile Stone Fort
Glenbeigh
Caragh Lake
Ring of Kerry
271
Valentia I.
Knights Town
Cahirciveen
775
Teermoyle Mtn.
Lough Caragh
Bray Head
562
Laune
Lough Leane
Carrantuohill
Castle Ross
399
500
Lissatinnig Br.
Boheeshil
1040
Macgillycuddy's Reeks
Gap of Dunloe
Skellig Islands
Baile an Sceilg
684
Iveragh
Waterville
Lough Currane
N71
32
Bolus Head
Ballinskelligs Bay
Staigue Stone Fort
545
Sneem
N70
415
Templenoe
Kenmare
Derrynane House
79
Parknasilla
Scariff Island
Derrynane National Historic Park
Kenmare River
Ring of Beara
Beara
Ardgroom
Lauragh
27
Knockboy
707
Cod's Head
Eyeries
661
63
Dursey Island
Allihies
491
Castletownbere
Caha Mountains
686
Hungry Hill
Glengariff
Adrigole
Garinish Gardens
Dursey Head
Dunboy Castle
Ring of Beara
Bear Island
Whiddy Island
Bantry Bay
Bantry
Bantry House
346
Kilcrohane
Durrus
Cullomane Cross Roads
Muntervary or Sheep's Head
Dunmanus Bay
Mt. Gabriel
408
N71
Toormore
315
591
Skull
592
Ballydehob
47
Goleen
Mizen Head
Crookhaven
Long I.
Roaringwater Bay
199
Clear Island
Sherkin Island
Baltimore
Cape Clear
10 miles
10 km

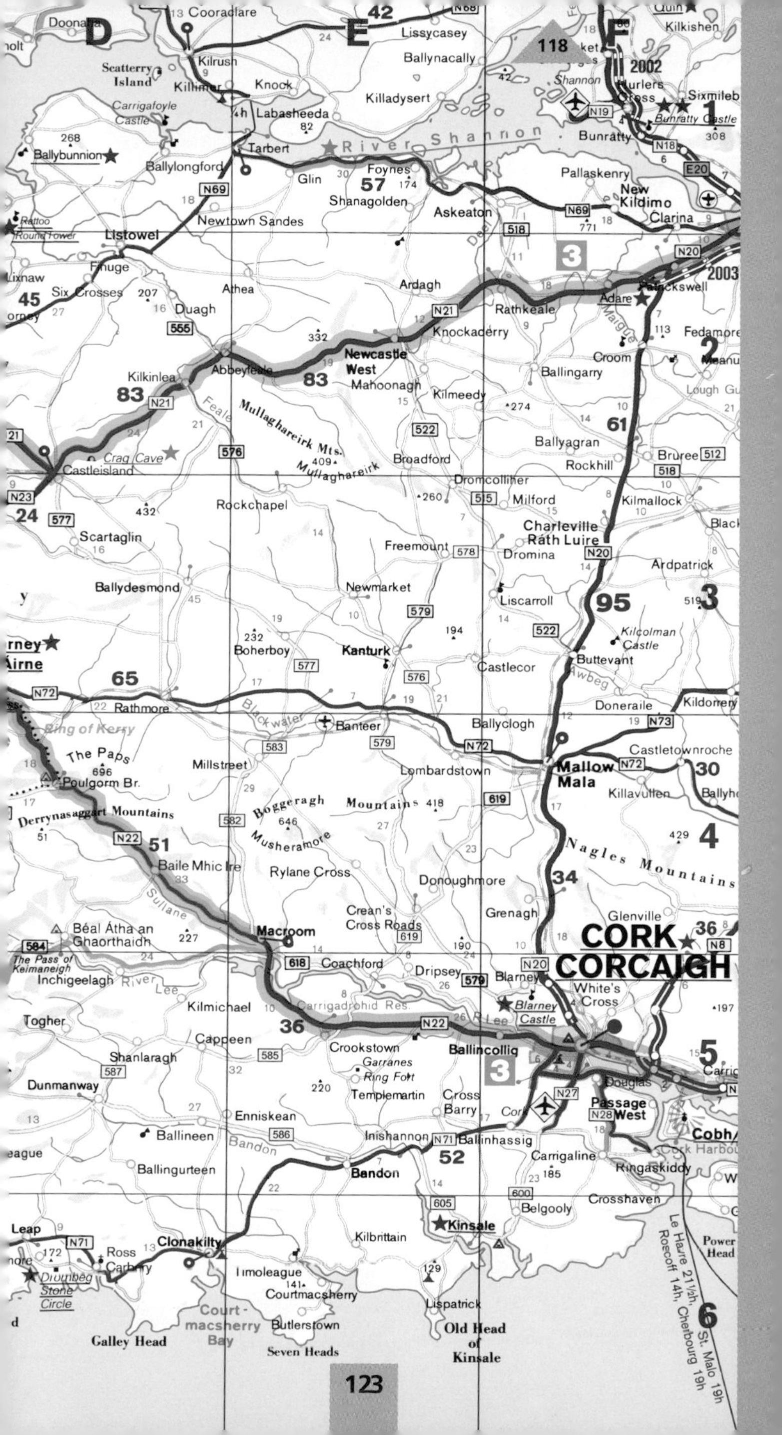

D
E
F
42
118
Cooraclare
Doonaha
Lissycasey
Quin
Kilkishen
Scattery Island
Kilrush
Ballynacally
Killimer
Knock
Killadysert
Shannon
Hurlers Cross
2002
N19
Bunratty Castle
Bunratty
Carrigafoyle Castle
Labasheeda
River Shannon
Ballybunnion
Tarbert
Ballylongford
Glin
Foynes
N18
E20
Pallaskenry
New Kildimo
Clarina
N69
Newtown Sandes
Shanagolden
Askeaton
57
Rattoo Round Tower
Listowel
518
N20
3
2003
Finuge
Lixnaw
Athea
Ardagh
Patrickswell
Six Crosses
Duagh
45
N21
Rathkeale
Adare
555
Knockaderry
Fedamore
Newcastle West
Croom
2
Kilkinlea
Abbeyfeale
83
Mahoonagh
Ballingarry
Kilmeedy
Lough Gur
Mullaghareirk Mts.
Mullaghareirk
61
522
Ballyagran
Crag Cave
576
Broadford
Bruree
512
Castleisland
Rockhill
N23
Dromcollogher
515
Milford
24
577
Rockchapel
Kilmallock
Charleville
Ráth Luire
Scartaglin
Freemount
578
Dromina
Ardpatrick
Ballydesmond
Newmarket
95
3
Liscarroll
579
Kilcolman Castle
Boherboy
Kanturk
Buttevant
65
Castlecor
N72
Rathmore
Awbeg
Doneraile
Blackwater
Banteer
N73
Ring of Kerry
583
Ballyclogh
The Paps
Millstreet
Castletownroche
Poulgorm Br.
Lombardstown
Mallow
Mala
30
Boggeragh Mountains
619
Killavullen
Derrynasaggart Mountains
582
Musheramore
4
N22
51
Nagles Mountains
Baile Mhic Ire
Rylane Cross
Donoughmore
34
Sullane
Crean's Cross Roads
Grenagh
Glenville
Béal Átha an Ghaorthaidh
Macroom
CORK
CORCAIGH
36
N8
584
The Pass of Keimaneigh
618
Coachford
Dripsey
Blarney
Inchigeelagh
River Lee
White's Cross
Kilmichael
Carrigadrohid Res.
Blarney Castle
Togher
36
Cappeen
5
Crookstown
Ballincollig
Shanlaragh
585
Garranes Ring Fort
3
587
Douglas
Dunmanway
Templemartin
Cross Barry
N27
Passage West
N28
Enniskean
Cork
Cobh
Ballineen
586
Inishannon
N71
Ballinhassig
Bandon
Carrigaline
Ringaskiddy
Ballingurteen
Bandon
52
605
600
Belgooly
Crosshaven
Leap
Kinsale
Power Head
Ross Carbery
Clonakilty
Kilbrittain
Le Havre 21½h,
Roscoff 14h, Cherbourg 19h
St. Malo 19h
Drombeg Stone Circle
Timoleague
Courtmacsherry
Lispatrick
6
Courtmacsherry Bay
Butlerstown
Old Head of Kinsale
Galley Head
Seven Heads

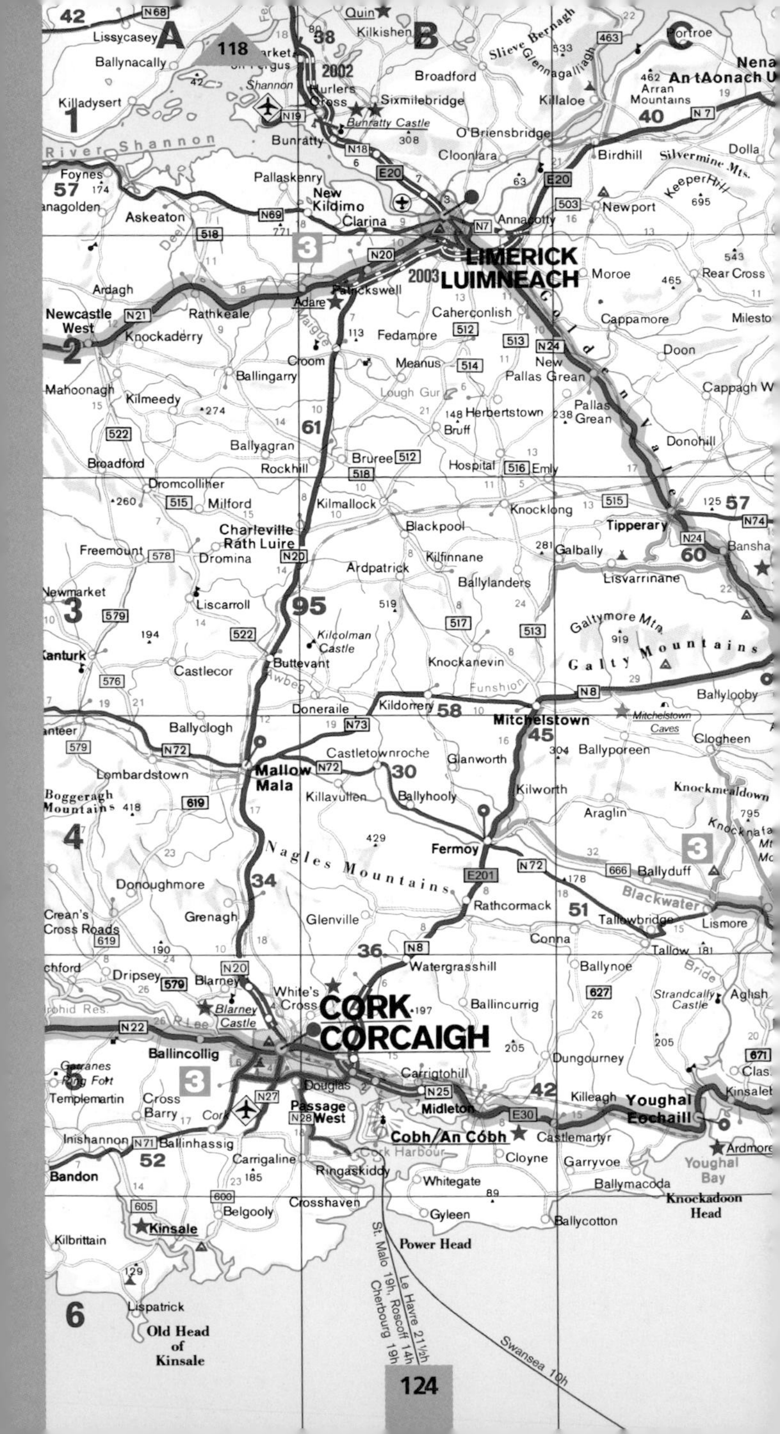
A
B
C
1
2
3
4
5
6
42
118
Lissycasey
Ballynacally
Killadysert
River Shannon
Quin
Kilkishen
Hurlers Cross
Sixmilebridge
Bunratty Castle
Bunratty
Shannon
2002
Broadford
Slieve Bernagh
Glennagalliagh
Killaloe
O'Briensbridge
Cloonlara
Portroe
Arran Mountains
Nenagh
An tAonach
Birdhill
Dolla
Silvermine Mts.
Keeper Hill
Newport
Annacotty
Foynes
57
Askeaton
Pallaskenry
New Kildimo
Clarina
LIMERICK
LUIMNEACH
2003
Moroe
Rear Cross
Ardagh
Newcastle West
Rathkeale
Patrickswell
Adare
Caherconlish
Cappamore
Knockaderry
Croom
Fedamore
Meanus
Doon
New Pallas Grean
Golden Vale
Ballingarry
Lough Gur
Mahoonagh
Kilmeedy
Herbertstown
Pallas Grean
Cappagh White
Bruff
61
Ballyagran
Broadford
Rockhill
Bruree
Hospital
Emly
Donohill
Dromcolliher
Milford
Kilmallock
Knocklong
Tipperary
Charleville
Ráth Luire
Blackpool
Galbally
Bansha
60
Freemount
Dromina
Kilfinnane
Ardpatrick
Ballylanders
Lisvarrinane
Newmarket
Liscarroll
95
Galtymore Mtn.
Galty Mountains
Kanturk
Kilcolman Castle
Buttevant
Castlecor
Knockanevin
Funshion
Awbeg
Doneraile
Kildorrery
58
Mitchelstown
Mitchelstown Caves
Ballylooby
Banteer
Ballyclogh
Castletownroche
Glanworth
45
Ballyporeen
Clogheen
Lombardstown
Mallow
Mala
Killavullen
30
Ballyhooly
Kilworth
Knockmealdown
Boggeragh Mountains
Araglin
Fermoy
Nagles Mountains
Ballyduff
Blackwater
Donoughmore
34
Rathcormack
51
Tallowbridge
Lismore
Crean's Cross Roads
Grenagh
Glenville
Conna
Tallow
Bride
Dripsey
Blarney
36
Watergrasshill
Ballynoe
Blarney Castle
White's Cross
CORK
CORCAIGH
Ballincurrig
Strandcally Castle
Aglish
Ballincollig
Dungourney
Garranes Ring Fort
Carrigtohill
Templemartin
Cross Barry
Cork
Douglas
Passage West
Midleton
42
Killeagh
Youghal
Eochaill
Castlemartyr
Cobh/An Cóbh
Inishannon
Ballinhassig
52
Carrigaline
Cork Harbour
Cloyne
Garryvoe
Ardmore
Youghal Bay
Bandon
Ringaskiddy
Whitegate
Ballymacoda
Knockadoon Head
Belgooly
Crosshaven
Gyleen
Ballycotton
Kinsale
Kilbrittain
Power Head
Lispatrick
Old Head of Kinsale
St. Malo 19h, Roscoff 14h
Cherbourg 19h
Le Havre 21½h
Swansea 10h
N68
N19
N18
E20
N69
N7
N20
N21
N24
N74
N8
N73
N72
E201
N22
N27
N28
N25
E30
N71
E20
518
512
513
514
516
515
522
578
579
576
517
619
627
666
671
600
605
503
463

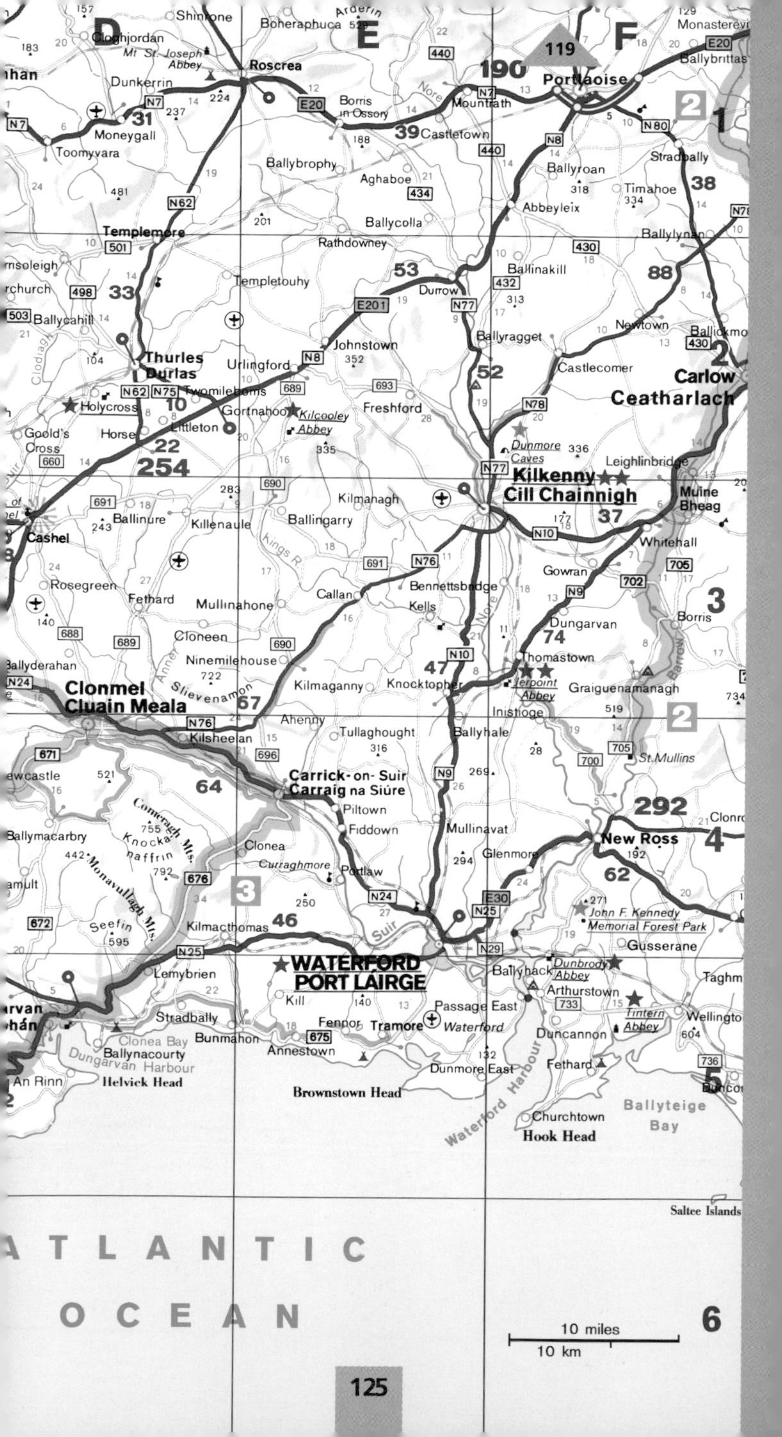
D
E
F
119
190
Shinrone
Boheraphuca
Cloghjordan
Mt St. Joseph Abbey
Roscrea
Portlaoise
Monasterevin
Ballybrittas
Dunkerrin
Borris in Ossory
Mountrath
Moneygall
Toomyvara
Castletown
Stradbally
Ballybrophy
Aghaboe
Ballyroan
Timahoe
Abbeyleix
Ballycolla
Templemore
Rathdowney
Ballylynan
Ballinakill
Templetouhy
Durrow
Ballycahill
Newtown
Johnstown
Ballyragget
Thurles
Durlas
Urlingford
Castlecomer
Carlow
Ceatharlach
Twomileborris
Holycross
Gortnahoo
Kilcooley Abbey
Freshford
Goold's Cross
Horse
Littleton
Dunmore Caves
Leighlinbridge
Kilkenny
Cill Chainnigh
Muine Bheag
Kilmanagh
Ballinure
Killenaule
Ballingarry
Cashel
Kings R.
Whitehall
Gowran
Rosegreen
Fethard
Mullinahone
Callan
Bennettsbridge
Kells
Nore
Dungarvan
Borris
Cloneen
Ninemilehouse
Thomastown
Barrow
Ballyderahan
Kilmaganny
Knocktopher
Jerpoint Abbey
Graiguenamanagh
Clonmel
Cluain Meala
Slievenamon
Anner
Ahenny
Inistioge
Kilsheelan
Tullaghought
Ballyhale
St.Mullins
Newcastle
Carrick-on-Suir
Carraig na Siúre
Piltown
Fiddown
Mullinavat
New Ross
Ballymacarbry
Comeragh Mts.
Knockanaffrin
Clonea
Curraghmore
Portlaw
Glenmore
Monavullagh Mts.
John F. Kennedy Memorial Forest Park
Seefin
Kilmacthomas
Suir
Gusserane
Lemybrien
WATERFORD
PORT LÁIRGE
Ballyhack
Dunbrody Abbey
Arthurstown
Kill
Passage East
Tintern Abbey
Wellington
Stradbally
Fennor
Tramore
Waterford
Clonea Bay
Bunmahon
Duncannon
Ballynacourty
Dungarvan Harbour
Annestown
Waterford Harbour
Fethard
An Rinn
Helvick Head
Dunmore East
Brownstown Head
Ballyteige Bay
Churchtown
Hook Head
Saltee Islands
ATLANTIC
OCEAN
10 miles
10 km
E20
N7
N8
N80
N62
N75
N77
N78
N76
N10
N9
N24
N25
N29
E30
E201
440
434
430
432
501
498
503
660
689
693
690
691
688
702
705
700
671
696
676
672
675
733
736

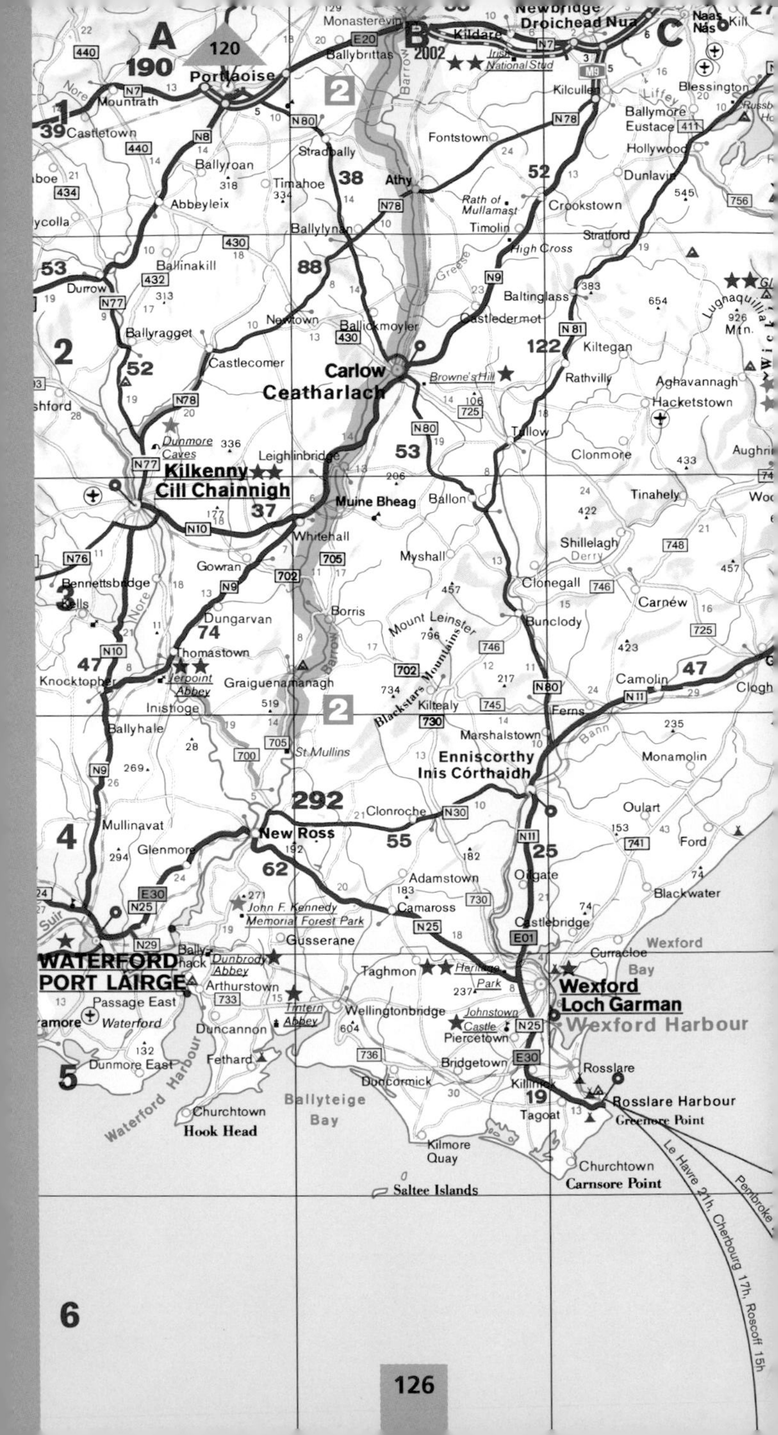

A
B
C
120
190
Portlaoise
Monasterevin
Ballybrittas
Kildare
2002
Irish National Stud
Newbridge
Droichead Nua
Naas
Nás
Kill
Mountrath
Castletown
Stradbally
Fontstown
Kilcullen
Blessington
Ballymore Eustace
Hollywood
Ballyroan
Timahoe
Athy
Dunlavin
Abbeyleix
Rath of Mullamast
Crookstown
Timolin
Stratford
High Cross
Ballylynan
Ballinakill
Durrow
Baltinglass
Lugnaquillia Mtn.
Newtown
Ballickmoyler
Castledermot
Ballyragget
Castlecomer
Carlow
Ceatharlach
Browne's Hill
Kiltegan
Rathvilly
Aghavannagh
Hacketstown
Tullow
Dunmore Caves
Leighlinbridge
Clonmore
Aughrim
Kilkenny
Cill Chainnigh
Muine Bheag
Ballon
Tinahely
Whitehall
Myshall
Shillelagh
Gowran
Bennettsbridge
Kells
Clonegall
Carnew
Borris
Dungarvan
Mount Leinster
Bunclody
Thomastown
Knocktopher
Jerpoint Abbey
Graiguenamanagh
Blackstairs Mountains
Kiltealy
Camolin
Inistioge
Ferns
Ballyhale
Marshalstown
Monamolin
St Mullins
Enniscorthy
Inis Córthaidh
Clonroche
New Ross
Oulart
Mullinavat
Glenmore
Ford
Adamstown
Oilgate
Camaross
Blackwater
John F. Kennedy Memorial Forest Park
Castlebridge
Gusserane
Curracloe
Wexford Bay
Suir
WATERFORD
PORT LAIRGE
Ballyhack
Dunbrody Abbey
Taghmon
Heritage Park
Wexford
Loch Garman
Arthurstown
Passage East
Tintern Abbey
Wellingtonbridge
Johnstown Castle
Wexford Harbour
Waterford
Duncannon
Piercetown
Fethard
Bridgetown
Rosslare
Dunmore East
Duncormick
Killinick
Rosslare Harbour
Tagoat
Greenore Point
Waterford Harbour
Churchtown
Ballyteige Bay
Hook Head
Kilmore Quay
Churchtown
Carnsore Point
Saltee Islands
Le Havre 21h, Cherbourg 17h, Roscoff 15h
Pembroke

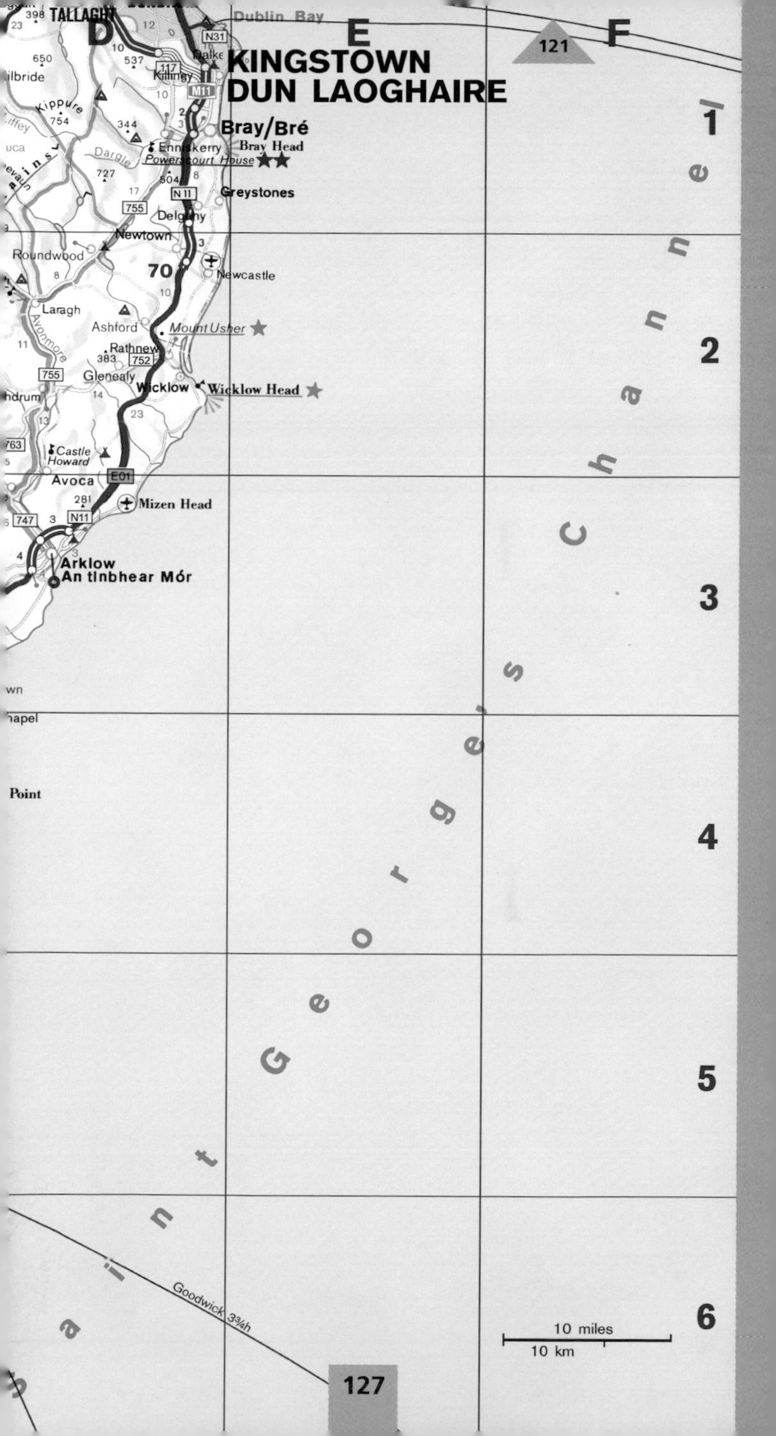

TALLAGHT
Dublin Bay
D
E
F
121
KINGSTOWN
DUN LAOGHAIRE
Dalkey
Killiney
Kilbride
Kippure
754
Bray/Bré
Bray Head
Enniskerry
Powerscourt House
Dargle
Greystones
Delgany
Newtown
Roundwood
70
Newcastle
Laragh
Ashford
Mount Usher
Avonmore
Rathnew
Glenealy
Wicklow
Wicklow Head
Castle Howard
Avoca
Mizen Head
Arklow
An tInbhear Mór
Point
Saint George's Channel
Goodwick 3¾h
10 miles
10 km
1
2
3
4
5
6

MARCO POLO

Für Ihre nächste Reise gibt es folgende Titel:

Deutschland

Allgäu
Amrum/Föhr
Bayerischer Wald
Berlin
Bodensee
Chiemgau/ Berchtesgaden
Dresden
Düsseldorf
Eifel
Erzgebirge/ Vogtland
Franken
Frankfurt
Hamburg
Harz
Heidelberg
Köln
Leipzig
Lüneburger Heide
Mark Brandenburg
Mecklenburger Seenplatte
Mosel
München
Nordseeküste: Niedersachsen mit Helgoland
Nordseeküste: Schleswig-Holst.
Oberbayern
Ostfries. Inseln
Ostseeküste: Mecklenburg-Vorpommern
Ostseeküste: Schleswig-Holst.
Pfalz
Potsdam
Rügen
Schwarzwald
Spreewald/Lausitz
Sylt
Thüringen
Usedom
Weimar
Die besten Weine in Deutschland
Die tollsten Musicals in Deutschland

Frankreich

Bretagne
Burgund
Côte d'Azur
Disneyland Paris
Elsass
Frankreich
Frz. Atlantikküste
Korsika
Languedoc-Roussillon
Loire-Tal
Normandie
Paris
Provence

Italien Malta

Capri
Dolomiten
Elba
Emilia-Romagna
Florenz
Gardasee
Golf von Neapel
Ischia
Italien Festland
Italien Nord
Italien Süd
Ital. Adria
Ital. Riviera
Mailand/ Lombardei
Malta
Oberital. Seen
Piemont/Turin
Rom
Sardinien
Sizilien
Südtirol
Toskana
Umbrien
Venedig
Venetien/Friaul

Spanien Portugal

Algarve
Andalusien
Azoren
Barcelona
Costa Blanca
Costa Brava
Costa del Sol/ Granada
Fuerteventura
Gomera/Hierro
Gran Canaria
Ibiza/Formentera
Lanzarote
La Palma
Lissabon
Madeira
Madrid
Mallorca
Menorca
Portugal
Spanien
Teneriffa

Nordeuropa

Bornholm
Dänemark
Finnland
Island
Kopenhagen
Norwegen
Schweden

Osteuropa

Baltikum
Budapest
Königsberg/ Ostpreußen Nord
Masurische Seen
Moskau
Plattensee
Polen
Prag
Riesengebirge
Rumänien
Russland
St. Petersburg
Slowakei
Tschechien
Ungarn

Österreich Schweiz

Berner Oberland/ Bern
Kärnten
Österreich
Salzburg/ Salzkammergut
Schweiz
Tessin
Tirol
Wien
Zürich

Westeuropa und Benelux

Amsterdam
Brüssel
England
Flandern
Holländische Küste
Irland
Kanalinseln
London
Luxemburg
Niederlande
Schottland
Südengland
Wales

Südosteuropa

Athen
Bulgarien
Chalkidiki
Dalmat. Küste
Griechenland Festland
Griechische Inseln/Ägäis
Ionische Inseln
Istrien
Istanbul
Korfu
Kos
Kreta
Peloponnes
Rhodos
Samos
Türkei
Türkische Mittelmeerküste
Zypern

Nordamerika

Alaska
Chicago und die Großen Seen
Florida
Hawaii
Kalifornien
Kanada
Kanada Ost
Kanada West
Los Angeles
New York
Rocky Mountains
San Francisco
USA
USA Neuengland
USA Ost
USA Südstaaten
USA Südwest
USA West
Washington, D.C.

Mittel- und Südamerika Antarktis

Antarktis
Argentinien/ Buenos Aires
Bahamas
Barbados
Brasilien/ Rio de Janeiro
Chile
Costa Rica
Dominikanische Republik
Ecuador/ Galapagos
Jamaika
Karibik I
Karibik II
Kuba
Mexiko
Peru/Bolivien
Südamerika
Venezuela
Yucatán

Afrika Vorderer Orient

Ägypten
Dubai/Emirate/ Oman
Israel
Jemen
Jerusalem
Jordanien
Kenia
Libanon
Marokko
Namibia
Südafrika
Syrien
Türkei
Türkische Mittelmeerküste
Tunesien

Asien

Bali/Lombok
Bangkok
China
Hongkong
Indien
Japan
Ko Samui/ Ko Phangan
Malaysia
Nepal
Peking
Philippinen
Phuket
Singapur
Sri Lanka
Taiwan
Thailand
Tokio
Vietnam

Indischer Ozean Pazifik

Australien
Hawaii
Malediven
Mauritius
Neuseeland
Seychellen
Südsee

Sprachführer

Arabisch
Englisch
Französisch
Griechisch
Italienisch
Kroatisch
Niederländisch
Norwegisch
Polnisch
Portugiesisch
Russisch
Schwedisch
Spanisch
Tschechisch
Türkisch
Ungarisch

In diesem Register sind alle in diesem Führer erwähnten Orte und Ausflugsziele verzeichnet. Halbfette Seitenzahlen verweisen auf den Haupteintrag, kursive auf ein Foto.

Schreiben Sie uns!

Liebe Leserin, lieber Leser,

wir setzen alles daran, Ihnen möglichst aktuelle Informationen mit auf die Reise zu geben. Dennoch schleichen sich manchmal Fehler ein – trotz gründlicher Recherche unserer Autoren/innen. Sie haben sicherlich Verständnis, dass der Verlag dafür keine Haftung übernehmen kann. Wir freuen uns aber, wenn Sie uns schreiben.

Senden Sie Ihre Post an die MARCO POLO Redaktion,
Mairs Geographischer Verlag, Postfach 31 51, 73751 Ostfildern,
marcopolo@mairs.de

Impressum

Titelbild: zefa
Fotos: HB-Verlag: Modrow (5 o., 7, 22, 27, 32, 36, 56, 61, 64, 68, 71, 85, 86, 91, 95, 96, 100); H. Krinitz (Umschlag l., Umschlag m., Umschlag r., 1, 2 u., 4, 5 u., 6, 10, 14, 18, 20, 30, 33, 39, 41, 42, 43, 44, 48, 51, 62, 67, 72, 74, 77, 78, 80); laif: Krinitz (28); Mauritius: Mehlig (29), Stadler (21), Vidler (2 o., 9), Visa Image (12); Transglobe: Fauner (88), Grehan (26), Janicek (25); zefa (111); E. Wrba (92)

9., aktualisierte Auflage 2002 © Mairs Geographischer Verlag, Ostfildern
Herausgeber: Ferdinand Ranft, Chefredakteurin: Marion Zorn
Lektorin: Andrea Sach, Bildredakteurin: Gabriele Forst
Kartografie Reiseatlas: © Mairs Geographischer Verlag/Falk Verlag, Ostfildern
Gestaltung: red.sign, Stuttgart
Sprachführer: in Zusammenarbeit mit dem Ernst Klett Verlag GmbH, Stuttgart, PONS Wörterbücher

Printed in Germany. Gedruckt auf 100% chlorfrei gebleichtem Papier

Bloß nicht!

Auch in Irland gibt es Dinge, die man besser meidet

Curiosity missverstehen

»Curious« sein heißt neugierig sein, und diese Spielart des persönlichen Interesses an anderen Menschen ist eine von den redseligen Iren gern gepflegte Eigenschaft. Darauf sollte man nicht abweisend reagieren, denn Neugierde bedeutet in diesem Land nichts Negatives, sondern signalisiert Aufgeschlossenheit gegenüber Wohlergehen und Anteilnahme an Sorgen – auch bei Fremden.

Nachts Autofahren

Schon tagsüber ist das Autofahren in Irland nicht so leicht wie zu Hause. Die Straßen sind eng, kurvig – und häufig auch hügelig –, und sie werden nicht selten von Pferden, Kühen und Schafen überquert. Hinzu kommen die vielen Schlaglöcher – *pot holes* genannt – und Kanaldeckel, die entweder zu tief oder zu hoch liegen. Vorsicht ist also besonders nachts geboten.

Ohne Regenschirm nach Irland

Die Iren halten es für ein ungerechtfertigtes Vorurteil, doch wir wissen es besser: Mit Regen sollte man immer rechnen, auch wenn es gelegentlich trockene Tage gibt. Daher ist es ratsam, stets Regenjacke oder Schirm dabeizuhaben.

Als Feinschmecker nach Kinsale

Kinsale ist zweifellos ein hübsches Hafenstädtchen, aber die kulinarische Hauptstadt Irlands, wie es sich selbst nennt, ist es bestimmt nicht. Nur wegen der Restaurants und des Essens lohnt sich die Reise also nicht. Während die Erbsen kaum gesalzen sind, sind es die Preise häufig um so mehr.

US-amerikanische Mietwagen

Wegen der Randlage Irlands kommen viele Touristen mit dem Flugzeug und mieten dann ein Auto. Avis, Hertz, Dollar, die US-amerikanischen Mietwagenfirmen, haben daher den irischen Markt erobert. Dabei sind sie weder besser noch preiswerter als die kleinen irischen Firmen, sie geben nur mehr Geld für Werbung und aufwändige Büros aus. Nur die Firma Dan Dooley (Dublin, Cork, Shannon) ist nicht empfehlenswert und sollte gemieden werden.

Juli und August in Irland

Während sich die Besucherzahl in Irland im Frühling, Herbst und Winter einigermaßen gleichmäßig über das Jahr verteilt, herrscht im Juli und August so großer Trubel, dass die Hotels oft belegt und zudem auch noch teurer sind als zu anderen Zeiten.